ZMIEŃ SWOJE ŻYCIE z Ewą Chodakowską

30
dni
minut
treningów
przepi

Ewa Chodakowska
Lefteris Kavoukis

Wydawnictwo K.E. LIBER
01-217 Warszawa, ul. Kolejowa 19/21
tel. (22) 862 38 22, tel./fax: (22) 862 38 24
www.keliber.com.pl, www.rodziceidzieci.pl
we współpracy z Biurem Promocji Wydawniczej Euro-focus
tel. (+48) 501 730 631, e-mail: biuro@euro-focus.pl

Redakcja: Krzysztof Kołakowski

Redakcja merytoryczna części dietetycznej:
Marta Kozub mgr inż. Nauk o Żywności i Żywieniu Człowieka

Projekt okładki i skład: Piotr Dzierżanowski
Druk: Drukarnia ReadMe Łódź

Wydano w Warszawie w 2013 roku

ISBN 978-83-60215-99-9

*Specjalne podziękowania dla Olivii za twórczą współpracę oraz cudowne zdjęcia, bez których nie wyobrażam sobie tej
książki. Dziękuję Marcie za wsparcie w opracowaniu części dietetycznej, restauracjom PoProstu ArtBistro, Puerto Banús,
Eat Zone za udostępnienie wyśmienitych przepisów oraz wszystkim zaangażowanym w realizację tego projektu.*

Ewa

PoProstu Zachęta
Plac Małachowskiego 3, Warszawa
PoProstu Artbistro
ul. Czerniowiecka 9, Warszawa

Restauracja Puerto Banús
Galeria Mokotów I piętro
ul. Wołoska 12
02-675 Warszawa

*Twój osobisty dietetyk i szef kuchni.
Specjalnie dla Ciebie, każdego dnia
zdrowa dostawa smacznych posiłków.*
www.eatzone.pl

PODZIĘKOWANIA

Na wstępie chciałabym Ci podziękować. Właśnie dzięki Tobie ta książka w ogóle mogła powstać. Jesteś źródłem mojej inspiracji, mojej siły do działania. Wszystko, co robię – robię dla Ciebie!

Ta książka powstała w oparciu o stronę na Facebooku, którą założyłam około 1,5 roku temu. Na początku miała ona służyć jedynie zgromadzeniu w jednym miejscu osób, które podzielają moją filozofię. Przepełniona pasją, pisałam o wszystkim, co wiąże się z moją miłością do świata i ludzi. A przede wszystkim zachęcałam do aktywności fizycznej jako sposobu na poprawę jakości życia.

Po pewnym czasie zrozumiałam, że mój przekaz pozytywnie działa na wiele osób. Dalszy rozwój nastąpił bardzo naturalnie – właśnie tak powstała ta książka. Próbując inspirować i motywować innych, sama zostałam zainspirowana do zebrania wszystkich myśli i wskazówek w jedną całość!

Jeśli dzięki tej książce choć jedna osoba podejmie wyzwanie, zawalczy o lepsze jutro, spróbuje zrealizować marzenia, jeśli choć jedna osoba zostanie zainspirowana do dalszego rozwoju – będzie to dla mnie wielki zaszczyt i ogromny sukces!

Życzę Wam szczęścia!

Specjalne podziękowania kieruję do moich Rodziców. Pomimo potknięć, zawsze mogę liczyć na Wasze wsparcie, bezwarunkową miłość i zaufanie. Pokazaliście mi, co jest najważniejsze. Dzisiaj owocuje to szacunkiem do samej siebie i drugiego człowieka. Jesteście dla mnie wzorem. Kocham Was ponad wszystko!

ZMIEŃ SWOJE ŻYCIE

Ewa Chodakowska

EWA z Chodakowską

SPIS TREŚCI

Wstęp   **7**

Motywacja   9

Trening   11

Odżywianie   14

Jak korzystać z tej książki   16

Program na 30 dni   **17**

Dzień 1   19

Dzień 2   25

Dzień 3   31

Dzień 4   37

Dzień 5   43

Dzień 6   49

Dzień 7   55

Dzień 8   61

Dzień 9   67

Dzień 10   73

Dzień 11   79

Dzień 12   85

Dzień 13   91

Dzień 14   97

Dzień 15   103

Dzień 16   **109**

Dzień 17   **115**

Dzień 18   **121**

Dzień 19   **127**

Dzień 20   **133**

Dzień 21   **139**

Dzień 22   **145**

Dzień 23   **151**

Dzień 24   **157**

Dzień 25   **163**

Dzień 26   **169**

Dzień 27   **175**

Dzień 28   **181**

Dzień 29   **187**

Dzień 30   **193**

Ćwiczenia   **201**

Rozgrzewka   **202**

Ćwiczenia na macie   **210**

Ćwiczenia w pozycji stojącej   **244**

Ćwiczenia na korpus   **269**

ZDROWE CIAŁO BĘDZIE DOBRYM DOMEM DLA DUSZY

Marzena Rogalska

Długo nie rozumiałam, o co tyle hałasu. Wiedziałam, że kobiety szaleją na jej punkcie, że dzięki niej zmieniają swoje życie. Aż pewnego ranka przyszła do *Pytania na śniadanie* i sprawiła, że bez wahania zrzuciłam szpilki i w sukience zaczęłam robić z nią pompki! Bawiłam się przy tym najlepiej na świecie. Odurzona wielką porcją endorfin, po programie postanowiłam bliżej zbadać to zjawisko. Zaczęłam od wywiadu środowiskowego, po którym okazało się, że dla większości moich koleżanek ćwiczenia z Ewą Chodakowską oraz regularne odwiedzanie jej fan page'a to najważniejsze punkty dnia! Na Facebooku istne szaleństwo – dowiaduję się, że tygodniowo Ewę odwiedza nawet 1,5 miliona osób, jej płyty dvd rozchodzą się jak ciepłe bułeczki i najważniejsze: wszystkie kobiety mówią zgodnie – TO DZIAŁA!

Któregoś dnia w mroźny zimowy wieczór odbieram telefon od mojej serdecznej przyjaciółki: „Może byśmy poszły na ćwiczenia z Ewą Chodakowską?". „Ale przecież ty gardzisz wszystkim poza jogą!" – odpowiadam zdziwiona. „Wiesz – słyszę w słuchawce – wydaje mi się, że ona działa dobrze na głowę!". Odkładam telefon i z jeszcze większym natężeniem powraca do mnie pytanie – co ona w sobie ma? Jak to się dzieje, że ta skromna, ciepła dziewczyna potrafi zmotywować do pracy nad sobą dziesiątki tysięcy kobiet? Z duszą na ramieniu idę na ćwiczenia. Stało się! Tak! Idę, choć jestem przekonana, że za nic w świecie nie nadążę za grupą, że bezlitośnie wyjdzie na jaw, ile godzin spędzam, leżąc na kanapie obłożona książkami. Faktycznie, ledwo dotrzymuję kroku, ale mało mnie to obchodzi, bo daję się porwać buzującej na sali pozytywnej kobiecej energii. Ewa ujmuje mnie tym, że pamięta imię każdej kobiety. Nic nie umknie jej uwadze. Pomaga, dając nam indywidualne wskazówki, i motywuje całą grupę. Do każdego zakątka sali dociera jej wesoły głos: „Rób to ćwiczenie w swoim tempie, ale nie przestawaj! Dasz radę!". No pewnie, że dam – myślę sobie – i cieszę się jak małe dziecko, bo Ewa jest po mojej stronie! Jest ze mną! Jest z każdą z nas! To mi daje siłę, żeby dokończyć to, co zaczęłam. „To ty jesteś odpowiedzialna za swoje szczęście – czytam w jej uśmiechu – ja ci tylko podam rękę i pomogę go dosięgnąć, bo ja już wiem, jak to się robi".

Wracając do domu, śpiewam w samochodzie, endorfinami mogłabym obdarować pół Polski i już wiem, że nie odpuszczę. Zrobię to dla siebie, żeby jak najczęściej móc tak się czuć. Już nie pozwolę, żeby mój cwany umysł znajdował tysiące wymówek, żeby tylko za bardzo się nie wysilać. Mam bowiem sojuszniczkę, która znalazła jedyny niepowtarzalny patent, który pozwoli mi wygrać z lenistwem wpisanym w ludzką naturę.

Zjawisko, jakim jest Ewa Chodakowska, określa się już fenomenem socjologicznym. Dla mnie fenomenem jest to, że Ewa niezmiennie jest skromną dziewczyną, której zależy na tym, żebyśmy były szczęśliwe. Popularność to dla niej miły dodatek. Z uporem maniaka uczy nas na swoich zajęciach wytrwałości i konsekwencji. Jej treningi mają na celu coś więcej niż osiągnięcie świetnej formy: aktywność fizyczna da nam wiele radości, a radość poprowadzi do spełnienia marzeń. Zdrowe ciało będzie dobrym domem dla duszy.

Ewa ma dar zjednywania sobie ludzi. I to się dzieje niemal od pierwszej sekundy po tym, gdy tylko się ją pozna. Uwiodła całą ekipę *Pytania na śniadanie* i publiczność naszego programu swoją pasją i szczerością. Każde spotkanie z nią to przygoda pełna emocji, zawsze szeroko komentowana (także na Facebooku) przez naszych przyjaciół i widzów. Głęboko wierzę, że dacie się uwieść również tej książce, tak pieczołowicie i z sercem przygotowanej przez Ewę Chodakowską. Oddajcie się pod jej opiekę na 30 dni po to, aby poczuć się lepiej. Aby zmienić swoje życie na bardziej satysfakcjonujące i radośniejsze! W tej książce jest pomysł na każdy dzień: 30 treningów po 30 minut, 30 jadłospisów i codzienna motywacja.

Ta książka może stać się Waszym przyjacielem. Zaufajcie jej, bo z prawdziwym przyjacielem u boku można osiągnąć wszystko!

Gorąco polecam

MOTYWACJA

Możesz mieć wszystko, robić wszystko i być kim chcesz!

To od Ciebie zależy, jak kształtuje się Twoja rzeczywistość. To od Ciebie zależy, czy swoje działania kończysz sukcesem czy porażką. Urodziłaś się z wewnętrzną siłą samorealizacji, którą najwyższy czas wykorzystać i przełożyć na działania. Znajdź swój cel, nie zatrzymuj się i spełnij swoje marzenia. Zasługujesz na szczęście!

Tobie też pisany jest sukces! Ty też jesteś ważna! Ty też jesteś wyjątkowa!

Znajdź czas i poświęć go tylko sobie. Musisz zapracować na własne szczęście, żeby potem móc się nim dzielić z innymi.

Dbaj o siebie! Najwyższa pora, abyś postawiła na oświecony egoizm!

Przez najbliższy miesiąc ta książka będzie przewodnikiem prowadzącym do Twojego sukcesu. **Nie wahaj się!** Wykorzystaj daną Ci szansę w pełni, rozpieszczając aktywnością fizyczną ciało i umysł.

Podejdź do całego procesu przemiany ze spokojem, stres jest potężnym przeciwnikiem na drodze do efektów. Systematyczny trening zaowocuje spektakularnym efektem wtedy, kiedy będzie wykonywany z przyjemnością, a nie z przymusu.

Cierpliwie dąż do celu, **bo systematyczna i niestrudzona** praca owocuje efektem w każdej dziedzinie życia!

Pora abyś się stała najlepszą wersją samej siebie!

MOJA HISTORIA

Jeszcze cztery lata temu kolory mojej przyszłości mieszały się jak w kalejdoskopie. Miałam sto pomysłów na siebie, a wśród nich żadnego konkretu – zainteresowana wszystkim wokół, dzieliłam swój czas na wiele zajęć.

Kiedyś usłyszałam: **„Skoncentruj się na jednej rzeczy i daj z siebie wszystko – tylko w ten sposób poczujesz się spełniona i osiągniesz sukces"**.

Szarpana różnymi emocjami, uciekając przed rzeczywistością, wybrałam się samotnie na wakacje, które miały mi pomóc odnaleźć wewnętrzny spokój. Dwutygodniowy wyjazd przedłużył się do dwóch lat, wywrócił moje życie do góry nogami i nadał mu nowy bieg. Podczas wakacji poznałam mojego obecnego partnera, człowieka, który jest źródłem mojej inspiracji i który napisał ze mną tę książkę. To dzięki niemu odstawiłam na bok wszelkie fascynacje rozdrabniające mój czas i połączyłam ze sobą dwie najważniejsze pasje: aktywność fizyczną i motywowanie do zmian na lepsze każdej napotkanej osoby.

Nigdy nie przypuszczałam, że swoją miłość do ruchu i ludzi mogę przełożyć na profesję, sposób na życie. Ćwiczenia były dla mnie pigułką szczęścia, sposobem na odstresowanie, holistyczną pielęgnacją mojego ciała i umysłu a dodawanie ludziom wiary w siebie zawsze przepełniało mnie uczuciem radości i spełnienia.

Przyglądając się swojemu partnerowi, zrozumiałam, że dobry trener to przede wszystkim dobry psycholog. Ktoś, kto wszechstronnie oddziałuje na osobę szukającą pomocy i wsparcia, odnajduje w niej potencjał i nieustannie motywuje do rozpostarcia skrzydeł.

Zrozumiałam, że sama dla siebie jestem dobrym trenerem. Zapragnęłam podzielić się ze wszystkimi swoją pasją, zmotywować i tchnąć nadzieję na lepsze jutro w każdą napotkana osobę. Patrzeć, jak na moich oczach każda Podopieczna rośnie w wewnętrzną siłę, rozwija świadomość własnych potrzeb, każdego dnia wzmacnia chęć i odwagę do zmian.

To nie ja wybrałam tą profesję, ta profesja wybrała mnie.

Aktywność fizyczna rewolucjonizuje każdą dziedzinę naszego życia!

Podczas każdego treningu w naszym mózgu zachodzą procesy chemiczne, w wyniku których wydzielają się **endorfiny**. *Są to hormony szczęścia odpowiedzialne za nasze dobre samopoczucie.*

MOJA FILOZOFIA:

To dzięki endorfinom kochamy, czujemy się kochane, piękniejsze, rośnie nasza samoocena i samoakceptacja. Nasza dusza zaczyna śpiewać, kreatywność wylewa się uszami, a ciało nabiera samouzdrawiającej mocy!

Ćwiczenia stają się przyjemnością – uzależniamy się od pozytywnego nastroju. Już po tygodniu systematycznej pracy (którą wolę nazywać chwilami radości) budzimy się z wewnętrzną potrzebą zażycia „naturalnej pigułki szczęścia" w postaci treningu.

Z momentem pojawienia się pierwszych zauważalnych efektów zaczynamy akceptować, a nawet lubić swoje ciało, zaczynamy patrzeć na siebie łaskawszym okiem. Dzięki ćwiczeniom negatywne uczucia, emocje i stres są niwelowane. Otwieramy się na ludzi, przestajemy skupiać się na błahostkach. Poszerza się horyzont naszych perspektyw, odkrywamy w sobie potencjał do realizowania marzeń. Koncentrujemy się na sobie i nie tracimy energii na rzeczy nieistotne. Rośniemy w siłę, co przekłada się na umiejętność podejmowania odważnych decyzji, często wymagających definitywnego zamknięcia spraw, które są dla nas trudne. Dostajemy skrzydeł i zabieramy się za skrywane dotąd pragnienia.

Nasze życie osobiste rozkwita. Związki przechodzą renesans, samotne osoby znajdują partnerów. Kiedy czujemy się atrakcyjnie we własnym ciele, wypełniamy się inną energią, którą emanujemy na zewnątrz. Karmimy się pozytywnymi emocjami i przyciągamy do siebie to, co sami dajemy.

W naturalny i niewymuszony sposób, wciąż pozostając sobą, nabieramy świadomości bycia **wyjątkowymi i szczęśliwymi**.

Zaczynamy!

TRENING

DLACZEGO TEN TRENING JEST NAJBARDZIEJ EFEKTYWNY?

Na przestrzeni lat badania naukowe wyznaczały nowe metody treningu. Ich wyniki przekładały się na nowe rekordy i lepsze osiągnięcia sportowców. „Technologia", rozwiązania, jakie stosują sportowcy, są teraz dostępne dla nas wszystkich. Dzięki tej wiedzy możemy dopasowywać ćwiczenia do naszych indywidualnych potrzeb. W tej książce znajdziesz plan treningu, który dzień po dniu poprowadzi Cię do całkowitej zmiany.

Zwiększysz swoją wytrzymałość, spalisz tkankę tłuszczową, poczujesz się silniejsza, odkryjesz nowe linie i kształty w swoim ciele, poprawisz współpracę układu nerwowego z mięśniowym, co znaczy, że polepszysz swoją koordynację, równowagę, czas reakcji – będziesz nawet lepszym kierowcą.

DLACZEGO 30 MINUT

Po pierwsze, większość z nas cierpi na deficyt czasu. Po drugie, wszyscy pragniemy osiągnąć najlepszy rezultat w jak najkrótszym czasie. 30 to magiczna liczba! Ten półgodzinny trening jest bardzo intensywny i w zupełności wystarcza, aby osiągnąć wymarzony cel. To zestaw cyklicznych ćwiczeń, który przyspieszy Twój metabolizm. Szybko je zmieniając, nie będziesz miała czasu na znużenie – ten trening to pogromca złego nastroju! Twój mózg uwolni endorfiny, dzięki którym wypełnisz się uczuciem radości.

Co więcej, trening cykliczny spala 30% więcej kalorii (ok. 9 kcal na minutę), niż przeciętny trening w klubie fitness. Kombinacja treningu kardio z siłowym zniweluje Twoją tkankę tłuszczową i wyprofiluje piękne, smukłe ciało.

DLACZEGO ROZLICZENIE W CZASIE, A NIE POWTÓRZENIA?

Powtórzenia mogą być wykonywane w wolnym lub szybkim tempie. 12–15 powtórzeń może zająć nam od 15 do 60 sekund. Bazując na powtórzeniach, ciężko jest określić intensywność treningu, natomiast program zawarty w tej książce będzie wymagał od Ciebie zmiennego tempa, wykorzystania pełni Twoich możliwości na zmianę z odpoczynkiem. Każde ćwiczenie powtórzysz tyle razy, ile zdołasz w określonym czasie, nie oszukując i zawsze próbując być lepszą niż poprzedniego dnia. Czas wykonania ćwiczenia będzie znacznie dłuższy od przerwy – to jest dokładnie to, czego Twój metabolizm potrzebuje, aby przyspieszyć. **Koniec z godzinami nudy na bieżni!**

TEN TRENING JEST ABSOLUTNIE DLA WSZYSTKICH!

Ten zestaw ćwiczeń jest przeznaczony zarówno dla osób początkujących, jak i zaawansowanych.

Młode i zdrowe osoby poprawią swoja kondycję fizyczną, spalą tkankę tłuszczową, zwiększą swoją siłę, poprawią kształt swojego ciała, zobaczą w lustrze nowe siebie już po 30 dniach. Ćwiczenie, które trwa 30 sekund wpływa na amatorów tak samo, jak na sportowców profesjonalistów. Brzmi niewiarygodnie, ale jedyna różnica jest taka, że sportowiec wykona więcej powtórzeń niż ktoś o słabszej kondycji fizycznej. Pod koniec serii będą jednak tak samo zmęczeni, bo przecież i jedni, i drudzy będą starali się dać z siebie wszystko.

Osoby po 40 roku życia mogą zauważyć, że ich organizm reaguje inaczej niż kiedyś. Szybciej się męczą, jest im trudniej wstać po tym, jak dłuższy czas siedziały mogą czuć sporadyczny ból w nadużywanych stawach. Daty urodzenia nie da się zmienić, jednak trenując, można cofnąć swój wiek biologiczny!

Badania naukowe opublikowane w Brytyjskim Dzienniku Sportu i Medycyny wykazują, że regularne energiczne ćwiczenia mogą odjąć nam 12 lat. Co znaczy, że trenując w wieku 45 lat będziesz wciąż czuła się jak trzydziestolatka. U osób czterdziestoletnich wydolność fizyczna mierzona poziomem pułapu tlenowego (czyli zdolność pochłaniania tlenu przez organizm) zmniejsza się do 80–90% pierwotnej zdolności, u osób pięćdziesięcioletnich jest to 70–80%, sześćdziesięcioletnich – mniej niż 70%, a u siedemdziesięciolatków – do 50–55%. Według wyników badań naukowych trening aerobowy może podnieść naszą wydolność o 25%, czyli obniżyć nasz wiek biologiczny o 10–12 lat.

Nawet jeśli nie zaczęłaś ćwiczyć w młodym wieku i dajesz sobie teraz drugą szansę, trening spowoduje zatrzymanie, a nawet częściowe cofnięcie niektórych procesów starzenia, które już się rozpoczęły.

Skoncentruj się jedynie na poprawności wykonywanych ćwiczeń. Trening na Twój najbliższy miesiąc jest oparty na ćwiczeniach interwałowych, czyli zmiennym tempie pracy. Zawiera on momenty, kiedy będziesz musiała dać z siebie wszystko i takie, w których będziesz mogła odpocząć. Dzięki takim sekwencjom poprawisz swoją wydolność!

PORADY DLA POCZĄTKUJĄCYCH

1. Przestań się bać i zacznij już teraz! Uczucie strachu i ekscytacji, kiedy rozpoczynamy przygodę z aktywnością fizyczną, jest całkowicie naturalne. Gdy tylko poczujesz krew płynącą w żyłach, szybciej bijące serce, zrozumiesz, jak bardzo brakowało Ci aktywności na co dzień. Każda droga zaczyna się od pierwszego kroku – wykonaj go jak najszybciej!

2. Upewnij się, że masz odpowiednie obuwie. To podstawa! Twoje obuwie sportowe powinno chronić Twoje stawy, pomagać w utrzymaniu równowagi, amortyzować i dawać poczucie komfortu. Nie patrz na modę, ale na funkcjonalność!

3. Dużo pij, przynajmniej pół litra wody na godzinę treningu.

4. Przed treningiem upewnij się, że nie jesteś głodna. To pomoże Ci utrzymać na wysokim poziomie energię, dzięki której trening stanie się bardziej efektywny. Będzie Ci wtedy łatwiej dać z siebie wszystko, a tym samym spalić więcej kalorii i wykształcić piękne mięśnie. Najlepiej jeść mały posiłek godzinę przed treningiem. Po dużym posiłku należy odczekać minimum dwie godziny.

5. Spalaj tłuszcz w naturalny sposób. Trzymaj się z daleka od spalaczy tłuszczu, dopalaczy, od różnych magicznych pigułek, które mają zapewnić szybsze efekty. Nie tylko sprawią one, że Twój organizm będzie się odwadniał, przyspieszą akcję serca (co może okazać się bardzo niebezpieczne), ale i przyczynią się do tracenia tkanki mięśniowej, przez co spowolnią Twój metabolizm i naturalną zdolność Twojego organizmu do spalania tłuszczu.

6. Udaj się do internisty na ogólne badania. Aby móc dobrać właściwą formę aktywności fizycznej, powinnaś zgłosić się do kontroli – jeśli dostaniesz zielone światło, bezzwłocznie zabieraj się do pracy. Jeśli palisz, masz wysokie ciśnienie, za duży poziom cholesterolu, cukrzycę albo nadwagę, badania lekarskie to Twój obowiązek! Dzięki temu będziesz iść do przodu bez strachu o swoje zdrowie.

PORADY DLA OSOB ŚREDNIOZAAWANSOWANYCH I ZAAWANSOWANYCH

Nawet jeśli trening to dla Ciebie żadna nowość, ten program może okazać się wyzwaniem. Z pewnością masz już wykształconą świadomość ciała, potrafisz je kontrolować w trakcie wykonywania ćwiczeń, ale są najbardziej skuteczne wtedy, gdy dasz z siebie wszystko! Ten program jest efektywny bez względu na to, czy aktywność fizyczną traktujesz jako swoje hobby, jesteś początkującą sportsmenką czy zwyczajnie utknęłaś w sidłach jednej dziedziny sportu. Zaczniesz jeszcze lepiej grać w tenisa czy siatkówkę, będziesz biegać szybciej, skakać wyżej. Nie potrzebujesz żadnego dodatkowego sprzętu, siłowni, możesz spróbować już teraz, w swoim domu.

W tej książce znajdziesz wszystko, czego potrzebujesz. Ciężar Twojego ciała wystarczy do osiągnięcia wyznaczonego celu. Możesz zmienić poziom trudności ćwiczeń i zwiększyć prędkość ich wykonania. Ćwicząc w domu, możesz angażować wszystkie partie mięśniowe.

Ta książka ma być źródłem wiedzy, która przełoży się na Twój sukces. Jeśli regularnie chodzisz na siłownię, możesz zabrać ją ze sobą. Ćwicząc mój program w fitness klubie, z pewnością zauważysz podobieństwo proponowanych przeze mnie rozwiązań do odbywających się tuż obok Ciebie drogich treningów personalnych. Ty możesz je wykonywać już za darmo.

Punkt zaczepienia

Musisz dokładnie wiedzieć, w którym miejscu teraz jesteś i gdzie jest Twój cel. Centymetr jest naszym przyjacielem. Zmierz się!

– talia (w najwęższym miejscu)
– biodra (w najszerszym miejscu)
– udo (w najszerszym miejscu)
– łydka (w najszerszym miejscu)

Koniecznie zapisz wyniki tych pomiarów na stronie pierwszego dnia programu.
Za 30 dni powtórzysz je i zapiszesz na ostatniej stronie.

ROZGRZEWKA

Twoja rozgrzewka będzie trwała 5 minut – nie mniej, nie więcej. Możesz wykorzystać któreś z podanych niżej ćwiczeń, możesz energicznie maszerować w miejscu, intensywnie angażując przy tym ramiona, możesz wykorzystać schody w swoim domu lub bloku, wchodząc pod górę i schodząc w dół. Wybierz wariant, który najbardziej Ci odpowiada.

Każdego dnia zdaj relację po zakończonym treningu, napisz, ile powtórzeń danego ćwiczenia udało Ci się wykonać. Dzięki temu stworzysz dokładny zapis tego, jaki postęp zrobiłaś w ciągu miesiąca.

Po zakończeniu programu nie przestawaj! Przyglądając się swojemu nowemu odbiciu w lustrze, pamiętaj, że zawsze możesz wykorzystać ten program ponownie, stawiając poprzeczkę coraz wyżej. Wierzę, że tym razem Twoje marzenia się urzeczywistnią!

ODŻYWIANIE

Ile razy mówiłaś sobie „Od jutra zaczynam dietę"? Niezależnie od tego, czy masz na celu poprawę swojego samopoczucia, zdrowia, czy jest to po prostu odchudzanie, słowo „dieta" od razu źle Ci się kojarzy. Bo przecież znowu trzeba będzie mniej jeść, ograniczać się, liczyć kalorie, a przede wszystkim rezygnować z tego, co się lubi. To może prowadzić do frustracji i niechęci do jakiejkolwiek zmiany nawyków żywieniowych.

Błędem większości osób, które chcą odzyskać i trwale zachować idealną sylwetkę, jest radykalne ograniczanie spożywanych kalorii, eliminacja wielu produktów, a nawet niejedzenie. Niestety ciągle pokutuje stwierdzenie, że aby schudnąć, trzeba mniej jeść. Takie postępowanie prowadzi przede wszystkim do spowolnienia tempa metabolizmu – organizm w ten sposób próbuje się bronić przed niedożywieniem. Przecież każde kolejne restrykcyjne diety to dla niego ogromny wysiłek, a każda walka z kilogramami jest za każdym razem coraz trudniejsza, a powrót do niechcianej wagi coraz szybszy. Na pewno to zauważyłaś. Ale to nie koniec. Nawet jeśli „dieta cud" spowoduje redukcję wagi, to niestety będzie to spadek masy mięśni, zapasów glikogenu, masy beztłuszczowej, a niestety nie tego, czego tak bardzo chcemy się pozbyć, czyli tkanki tłuszczowej. W konsekwencji w niedługim czasie jesteśmy narażeni na powszechnie znany efekt jo-jo. Z jednej strony jest on szkodliwy dla psychiki (za każdym razem, kiedy tracisz uzyskaną wagę, przychodzi poczucie niepowodzenia), z drugiej – bardzo niebezpieczny dla zdrowia. Częste wahania wagi wiążą się z ryzykiem chorób serca, cukrzycy drugiego stopnia, kamicy żółciowej. Zbyt restrykcyjne diety dodatkowo osłabiają nasz organizm, pogarszają samopoczucie. Nasza cera staje się blada, włosy zaczynają wypadać, a paznokcie łamać. Pogarsza się morfologia, a co za tym idzie – spada odporność na liczne choroby. Mogę śmiało powiedzieć, że niedożywienie jest nawet bardziej niebezpieczne niż nadwaga i otyłość. Nasuwa się prosty wniosek: aby schudnąć, odzyskać formę i dobre samopoczucie, trzeba zdrowo jeść.

Śmiem stwierdzić, że można sobie pozwolić na wszystko, ale z umiarem. Każda dieta musi być dopasowana do indywidualnych potrzeb człowieka. Uzależniona jest ona od wieku, płci, wagi, stylu życia, stanu zdrowia, aktywności fizycznej, pory roku, klimatu, a nawet towarzyszącego nam w danym okresie nastroju. Trzeba jeść zdrowo, regularnie i dostarczać sobie wszystkich potrzebnych składników, aby nasz jadłospis był w pełni wartościowy, różnorodny i zapewniał nam wszystko, co jest niezbędne, aby zachować zdrowie i chęć do życia.

Tutaj pojawia się pytanie: jak to zrobić? Wystarczy spojrzeć na powszechnie znaną piramidę żywienia i na jej podstawie racjonalnie rozplanować swój jadłospis. To ułatwi nam zakupy, pozwoli zaoszczędzić czas, umożliwi wykorzystanie produktów sezonowych, ochroni przed marnotrawieniem żywności. Dlatego warto nie rezygnować z jedzenia, a po prostu zmienić swoje nawyki. Już samo wyeliminowanie słodyczy pozwoli w ciągu roku pozbyć się dodatkowych 5 kilogramów! Regularne odżywianie to nic innego jak 4–5 posiłków w ciągu dnia, niezapominanie o śniadaniu i kolacji. Fakt, wieczorem nie powinno się jeść dużo, ale jeść jak najbardziej trzeba, tylko nie później niż 2–3 godziny przed snem. Wbrew temu, co powszechnie się sądzi, nie jest regułą, że ostatni posiłek powinno się zjeść około godziny 18 – chyba że chodzimy spać o 20. Regularność jedzenia w połączeniu z aktywnością fizyczną jest prostą metodą do przyspieszenia tempa metabolizmu i trwałego unormowania masy ciała. Pomiędzy posiłkami należy pić wodę mineralną, zieloną, czerwoną lub ziołową herbatę. Kawę, jeśli ciężko ci z niej zrezygnować, pij z mlekiem z dodatkowymi dwiema szklankami wody. Przy komponowaniu codziennych, urozmaiconych posiłków należy pamiętać, że wszystkie składniki odżywcze – białko, tłuszcze, węglowodany złożone, witaminy i składniki mineralne – są niezbędne. Nie należy eliminować z diety żadnego z nich, ponieważ każdy ma istotny wpływ na nasze zdrowie. A stosując prostą regułę wybierania produktów z pięciu grup wspomnianej piramidy, nie wpadniemy w pułapkę liczenia kalorii, co po dłuższym czasie dla niektórych mogłoby stać się obsesją.

Pierwsza grupa zawierająca produkty zbożowe, których powinno się jadać 4–6 porcji dziennie, to źródło węglowodanów złożonych, białka roślinnego, witamin z grupy B, witaminy C (ziemniaki), niektórych składników mineralnych i błonnika. Do tej grupy można zaliczyć produkty takie jak chleb, płatki zbożowe, owsiane, ryż, makaron, fasola, soczewica. Dostosowanie odpowiedniej liczby kalorii (60% dziennego spożycia) pochodzącej z węglowodanów w połączeniu z ćwiczeniami fizycznymi pozwala zachować zdrowie i chęć do działania, a jeśli jesteśmy na diecie – także zgubić kilogramy. Pamiętajmy, że aby organizm mógł spalać tłuszcz, potrzebuje niewielkiej ilości węglowodanów.

Druga grupa to produkty bogate w wartościowe białko, witaminy z grupy B, witaminę A, składniki mineralne, żelazo. Należą do niej: chude mięso (drób, ryby), jaja, a także rośliny strączkowe, które oprócz białka roślinnego są bogate w węglowodany złożone i błonnik. Białko jest niezwykle istotnym składnikiem odżywczym dla osób regularnie ćwiczących, ale nie tylko dla nich. To podstawowy budulec tkanek, substancja niezbędna do produkcji enzymów i hormonów regulujących metabolizm.

Kolejna grupa to produkty bogate w wapń: mleko i jego przetwory, orzechy, rośliny strączkowe. Niezwykle istotne są również tłuszcze. Jedna do dwóch porcji to niezbędne minimum ich konsumpcji w ciągu dnia. Ich źródło stanowią: orzechy, nasiona, olej rzepakowy, oliwa z oliwek, siemię lniane, tłuste ryby, które mogą poprawić odporność organizmu, wspomagać jego regenerację i chronić przed chorobami serca.

Nie możemy zapomnieć również o bogactwie witamin, minerałów, błonnika i antyutleniaczy, czyli o owocach warzywach, których powinno się zjadać do pół kilograma w ciągu dnia. Należy również pamiętać, że elementem racjonalnego odżywiania są również drobne przyjemności, czyli kalorie uzupełniające. Im bardziej jesteśmy aktywni, tym więcej tych dodatkowych kalorii możemy zjeść. Osoby regularnie ćwiczące mogą sobie pozwolić na 200–300 kalorii dodatkowych w stosunku do indywidualnego zapotrzebowania. Ich źródłem mogą być na przykład czekolada, drink, a nawet frytki. Należy jednak pamiętać o zachowaniu umiaru. Nie zapominajmy o dodatkowych kaloriach znajdujących się w dżemie, którym smarujemy kanapkę, w słodkiej kawie z mlekiem czy napojach dla sportowców.

A więc nie kłamałam, mówiąc, że „dieta" to jedzenie prawie wszystkiego, bez nieustannej kontroli. Należy pamiętać, że każda zmiana w odżywianiu zaczyna się od zmiany sposobu myślenia. Trzeba mieć świadomość, ile czasu należy poświęcić na wypracowanie świetnej sylwetki. Jeżeli twoje nawyki żywieniowe dotychczas nie były najlepsze, to nie łudź się, że tydzień na diecie 1000 kcal przyniesie spektakularne efekty. Do realizacji zamierzonego celu prowadzą tylko upór i zdecydowanie, które jednocześnie zagwarantują dobre samopoczucie, zdrowie i doskonałą figurę do końca życia. Nie tylko nadwaga (choć oczywiście warto z nią walczyć!) może być powodem zmiany sposobu odżywiania. Także osoby bez problemów z wagą powinny zadbać o właściwą dietę, ponieważ jest to inwestycja w nasze zdrowie!

JAK KORZYSTAĆ Z TEJ KSIĄŻKI

Obiecujemy Ci, że te 30 dni, odmienią Twoje życie!

Każdy dzień zawiera:

Plan dietetyczny

Jedz według jadłospisu i korzystaj z podanych wskazówek.

Jeden przepis

Spróbuj zrobić to danie sama – dowiesz się, co dokładnie zawiera i jak się je przyrządza. Możesz również zamówić gotowe, ale jeśli przygotujesz je samodzielnie, będziesz miała gotowy pomysł, kiedy w przyszłości zechcesz coś ugotować. Planując gotowanie, kup potrzebne składniki dzień wcześniej.

Jeden program treningowy

To ważne! Zanim zaczniesz trening, musisz nauczyć się odczytywać opisy ćwiczeń. Nie trać czasu na odszukiwanie ich w trakcie treningu! Wszystkie ćwiczenia znajdziesz w ostatnim rozdziale książki. Opisy zostały podzielone na cztery grupy (zaznaczone odpowiednim kolorem). Każde ćwiczenie opatrzono kodem (numerem) i dokładnie wyjaśniono, jak je poprawnie wykonać i jakie mięśnie angażuje. Twój dzienny program treningowy to ćwiczenia wykonywane we właściwej kolejności przez określony czas. Powiemy Ci również, jak długo możesz między nimi odpocząć i ile razy masz powtórzyć każdy zestaw. Przed rozpoczęciem treningu upewnij się, że wiesz, które ćwiczenia wykonać, w jakiej kolejności i przez ile czasu to robić. Pamiętaj, żeby bardzo uważnie przeczytać opis proponowanych ćwiczeń, zanim jeszcze zaczniesz trening. To bardzo istotne, żeby już wcześniej wiedzieć, jak poprawnie je wykonać – dzięki temu unikniesz przerw w trakcie treningu. Upewnij się, że zrozumiałaś opisaną technikę i po rozgrzewce zrób kilka „próbnych" powtórzeń (najlepiej przed lustrem), zwracając uwagę na poprawność ich wykonania. Kiedy zapoznasz się z teorią, przystąp do akcji!

Dodatkowa aktywność

Każdego dnia zaproponujemy Ci dodatkową aktywność. Możesz z niej skorzystac kiedy czujesz niedosyt.

Twoje notatki

Dajemy Ci też miejsce na krótkie opisanie treningu (koniecznie „odhacz", czy wykonałaś wszystkie zadania) i na rozmowę z samą sobą. Każdego dnia zapytaj siebie głośno, co dla siebie zrobiłaś i jak się dzisiaj czujesz. Zapisz to, co usłyszałaś w odpowiedzi. Pod koniec trzydziesto-dniowego programu wróć do pierwszego dnia i porównaj swoje samopoczucie na początku naszych wspólnych zmagań z dniem, w którym osiągnęłaś sukces!

Życzymy Ci powodzenia

Ewa i Lefteris

TRZYMAM
za CIEBIE
KCIUKI

PROGRAM NA 30 DNI

DZIEŃ 1
MOTYWACJA

Przestań się obwiniać.
Nie załamuj rąk i nie poddawaj się porażkom.
Nie czekaj, aż coś samo się wydarzy i odmieni Twój los!
Weź się w garść i wykreuj swój dzień. Wykreuj siebie!

Sięgnij po czystą białą kartkę i przyjrzyj się jej – ta
kartka to właśnie Ty. Napisz na niej, kim chcesz być,
jaka chcesz być, z kim chcesz być i dokąd zmierzasz.
Wyznacz sobie cel i nie marnuj bezcennego czasu,
a ludzi rzucających Ci kłody pod nogi odsuń na bok!

Już najwyższy czas, żebyś zatroszczyła się o siebie.
Zdrowy Oświecony Egoizm – to jest Twój sposób na życie!

JADŁOSPIS
DZIEŃ 1

ŚNIADANIE
4 łyżki muesli (bez cukru) z garstką rodzynek, orzechów włoskich i szklanką jogurtu naturalnego, 2 owoce kiwi

PRZEKĄSKA

OBIAD
porcja makaronu pełnoziarnistego, pieczona pierś kurczaka pokrojona w kostkę, sałatka: garść zielonej ciętej fasolki, 5–6 pomidorków koktajlowych, natka pietruszki, porwane listki sałaty – wszystko wymieszane i skropione oliwą

PRZEKĄSKA

KOLACJA
Sałatka Cezar

Sałatka Cezar

SKŁADNIKI

10 dużych liści sałaty lodowej lub rzymskiej (**100 g**)
5 pomidorków koktajlowych (**50 g**)
75 g piersi z kurczaka
30 g grzanek z kromki chleba graham
5 g parmezanu
pół łyżeczki czarnego i białego sezamu (po **5 g**)
1 białko jaja kurzego (**20 g**)
sok z połowy pomarańczy (**100 ml**)
sól i pieprz do smaku
ocet balsamiczny, czerwona papryka do smaku

SPOSÓB WYKONANIA

Sałatę umyj, porwij na małe kawałki. Do oddzielnej miseczki wciśnij sok z połowy pomarańczy, dodaj łyżeczkę oliwy, odrobinę soli i świeżo zmielonego pieprzu. Pierś z kurczaka pokrój na bardzo cienkie plasterki, zamarynuj je w occie balsamicznym i czerwonej papryce. Następnie posmaruj mięso białkiem, posyp ziarnami sezamu, usmaż bez tłuszczu na patelni grillowej i pokrój na centymetrowe kawałki. Kromkę chleba pokrój w małe grzanki, zrumień na patelni. Pomidorki koktajlowe pokrój na ćwiartki. Połącz sałatę z sosem z soku pomarańczowego i oliwy, dodaj kurczaka i pomidorki. Wszystko wymieszaj, sałatkę posyp grzankami i tartym parmezanem.

Sałata jest bardzo dobrym źródłem rozpuszczalnego błonnika. Spożywanie produktów bogatych w błonnik pokarmowy sprzyja obniżaniu się „złego" cholesterolu LDL. Błonnik to także niezbędny składnik każdej diety odchudzającej. Mięso z piersi kurczaka jest bardzo dobrym źródłem białka potrzebnym nie tylko do budowy i odbudowy mięśni, ale także do produkcji enzymów trawiennych i ciał odpornościowych czy do regulacji nawodnienia organizmu. W grzankach z chleba graham znajduje się błonnik nierozpuszczalny, który w przewodzie pokarmowym ma zdolność neutralizowania metali ciężkich dostających się do organizmu z zanieczyszczonego środowiska. Pomidory to cenne źródło likopenu, który jest szczególnie potrzebny panom, ponieważ niweluje szkodliwe działanie stresu oksydacyjnego na plemniki.

WARTO WIEDZIEĆ:
Warzywa zielone, takie jak brokuły, brukselka, szparagi czy szpinak, to główne źródło kwasu foliowego, czyli witaminy B9, której spożycie zmniejsza ryzyko zachorowania na raka trzustki. Kwas foliowy jest niezbędny do odpowiedniego podziału komórek, powielania DNA i produkcji czerwonych krwinek, dlatego jest tak ważny przed poczęciem i w czasie ciąży. Oprócz wymienionych warzyw, kwas foliowy występuje również w brązowym ryżu, grochu, soczewicy, ciecierzycy, drożdżach piwowarskich i jęczmieniu.

TRENING

- pięciominutowa rozgrzewka:
  wykonaj ćwiczenia (R05, R06, R07, R04, R03)
  każde po 1 minucie

- wykonaj 5 ćwiczeń
  (**S01** prawa noga, **S01** lewa noga, **S11, K03, M23**)
  po 30 sekund, odpocznij 1 minutę, powtórz całość 4 razy

- wykonaj 5 ćwiczeń
  (**S05** prawa noga, **S05** lewa noga, **S12, K07, M25**)
  po 30 sekund, odpocznij 1 minutę, powtórz całość 4 razy

- pięciominutowy cooldown:
  po zakończeniu programu spaceruj przez 3 minuty, unormuj
  oddech (wdech nosem, wydech ustami); połóż się na plecach,
  przyciągnij kolana do klatki piersiowej i obejmij je ramionami;
  przejdź do pozycji siedzącej, jedną nogę wyciągnij do przodu,
  drugą nogę ugnij do tyłu, pochyl tułów maksymalnie do przodu
  nad wyciągniętą nogą, utrzymaj tę pozę 15 sekund i zmień
  pozycję nóg, oddychaj powoli

OPCJONALNIE:
Ponadto o innej porze dnia niż wykonany trening wybierz się
na 20-minutowy spacer lub na rower.

Pamiętaj, aby sprawdzić swój stan zdrowia przed rozpoczęciem
ćwiczeń. W razie jakichkolwiek problemów zdrowotnych,
skonsultuj się z lekarzem.

TWOJE NOTATKI

☐ **TRENING DNIA**
☐ **JADŁOSPIS DNIA**
☐ **PRZEPIS DNIA**

CO DLA SIEBIE DZISIAJ ZROBIŁAŚ?
JAK SIĘ CZUJESZ?

S01 - wyskok

S11 - 254 str

Ł03 - bokał ą potem nogi do góry

M23 - 232 st.

Od dzisiaj, to centymetr a nie waga będą
wyznacznikiem Twoich efektów.

Zmierz się i zapisz wyniki pomiarów:

talia (w najwęższym miejscu).........................cm

brzuch (na wysokości pępka).........................cm

biodra (w najszerszym miejscu).....................cm

DZIEKUJĘ CI ZA ZAUFANIE

DZIEŃ 2
MOTYWACJA

Wykorzystaj każdy wolny moment tak, żeby sprawiał Ci przyjemność, żebyś mogła czuć dumę i satysfakcję. Nie marnuj czasu! Nieprzerwanie czerp z życia to, co najpiękniejsze, i nie zapomnij, aby robić to z głową. Sama możesz być dla siebie lekarstwem, więc zatroszcz się o siebie!
Niech Twój sen przynosi Ci relaks. Niech trening wypełnia Cię szczęściem i dostarcza mnóstwa endorfin. Niech jedzenie będzie zdrową przyjemnością.
Zacznij beztrosko doceniać rzeczy proste i banalne.
Rozpieszczaj się, budując poczucie własnej wartości!

Twoje ciało, Twój organizm jest zależny od Twojego umysłu.
Po prostu powiedz sobie, jak chcesz się czuć!
Zachowaj równowagę we wszystkich dziedzinach życia i bądź dla siebie dobra.
Bądź szczęśliwa już dziś. Reszta się dostosuje!

JADŁOSPIS
DZIEŃ 2

ŚNIADANIE
Omlet z warzywami

PRZEKĄSKA

OBIAD
miseczka zupy krem z pomidorów z grzankami z chleba razowego, 120 g pieczonego dorsza z sokiem z cytryny, płatkami migdałowymi i natką pietruszki, porcja kaszy pęczak, sałatka grecka skropiona oliwą z oliwek

PRZEKĄSKA

KOLACJA
2 łyżki ryżu z warzywami (połowa cukinii, ćwiartka papryki, ćwiartka bakłażana, pomidor) i 2 plastrami sera twarogowego, skropione oliwą z oliwek i posypane natką pietruszki

Omlet z warzywami

SKŁADNIKI

2 jajka (**100 g**)
czerwona papryka (**50 g**)
pół małej róży brokułu (**50 g**)
1,5 łyżki kukurydzy (**20 g**)
łyżka oliwy (**10 g**)

SPOSÓB WYKONANIA

Wbij jajka do miseczki, mieszaj je do uzyskania jednolitej konsystencji. Paprykę czerwoną pokrój w drobna kostkę, różę brokułu podziel na mniejsze różyczki. Do jajek dodaj paprykę, brokuły, kukurydzę. Rozgrzej olej na patelni, wylej na nią powstałą masę, poczekaj aż się zetnie. Gdy spód będzie już usmażony, złóż omlet na pół i smaż przez chwilę na każdej ze stron.

Omlet z warzywami to bardzo wartościowa potrawa, doskonała jako śniadanie. Liczne badania dowiodły, że duża ilość białka spożywanego w godzinach porannych znacznie zwiększa uczucie sytości w ciągu całego dnia. Pełnowartościowe białko jaja kurzego stanowi wzorzec, do którego są porównywane inne białka. Jaja to także dobre źródło żelaza hemowego, które jest najlepiej przyswajalną formą żelaza. Dostarczają również wielu witamin i składników mineralnych. Wśród nich na szczególną uwagę zasługuje chrom, który reguluje gospodarkę węglowodanową organizmu. Papryka to doskonałe źródło witaminy C, która między innymi zwiększa odporność organizmu i stymuluje syntezę kolagenu. Brokuły i kukurydza zawierają luteinę będącą budulcem plamki żółtej – części siatkówki oka, bez której nie moglibyśmy widzieć. Powinny je spożywać osoby dbające o prawidłowy stan narządu wzroku. Oliwa to doskonałe źródło jednonienasyconych kwasów tłuszczowych niezbędnych do prawidłowego funkcjonowania układu sercowo-naczyniowego.

WARTO WIEDZIEĆ:
Ziemniaki w 75% składają się z wody, więc nie są kaloryczne. To, co dodaje im kalorii, to sosy, którymi je polewamy. Ziemniaki są źródłem witaminy C, której bogactwo znajduje się tuż pod skórką, dlatego najlepiej przygotowywać je, piekąc w mundurkach. 100 g młodych ziemniaków zawierają nawet 50 mg witaminy C. Jej ilość zmniejsza się podczas przechowywania tych warzyw, podobnie jak zmniejsza się zawartość wody w stosunku do skrobi.

TRENING

- pięciominutowa rozgrzewka:
  wykonaj ćwiczenia (R05, R01, R07, R06, R02)
  po 30 sekund i powtórz serię
- wykonaj 2 ćwiczenia
  (**S05** prawa noga, **S05** lewa noga), każde po 20 sekund
  z 10-sekundowymi przerwami, powtórz całość 4 razy, odpocznij minutę
- wykonaj 2 ćwiczenia
  (**S10, K06**), każde po 20 sekund z 10-sekundowymi
  przerwami, powtórz całość 4 razy, odpocznij minutę
- wykonaj 2 ćwiczenia
  (**S16, M26**), każde po 20 sekund z 10-sekundowymi
  przerwami, powtórz całość 4 razy, odpocznij minutę
- wykonaj 2 ćwiczenia
  (**K01, M29**), każde po 20 sekund z 10-sekundowymi
  przerwami, powtórz całość 4 razy, odpocznij minutę
- pięciominutowy cooldown:
  po zakończeniu programu spaceruj przez 3 minuty, unormuj oddech
  (wdech nosem, wydech ustami); połóż się na plecach, przyciągnij kolana
  do klatki piersiowej i obejmij je ramionami; przejdź do pozycji siedzącej,
  jedną nogę wyciągnij do przodu, drugą nogę ugnij do tyłu, pochyl tułów
  maksymalnie do przodu nad wyciągniętą nogą, utrzymaj tę pozę
  15 sekund i zmień pozycję nóg, oddychaj powoli

OPCJONALNIE:
Dodatkowo o innej porze dnia niż trening przez 20 minut wchodź i schodź
po schodach w wolnym tempie.

Na stronach *Twoje notatki* wpisuj ilość powtórzeń każdego ćwiczenia
(czas ćwiczenia musi być zawsze ten sam) i popraw swój wynik
następnym razem!

Pamiętaj, aby wykonać maksymalną ilość powtórzeń w określonym czasie.

TWOJE NOTATKI

☐ **TRENING DNIA**
☐ **JADŁOSPIS DNIA**
☐ **PRZEPIS DNIA**

CO DLA SIEBIE DZISIAJ ZROBIŁAŚ?
JAK SIĘ CZUJESZ?

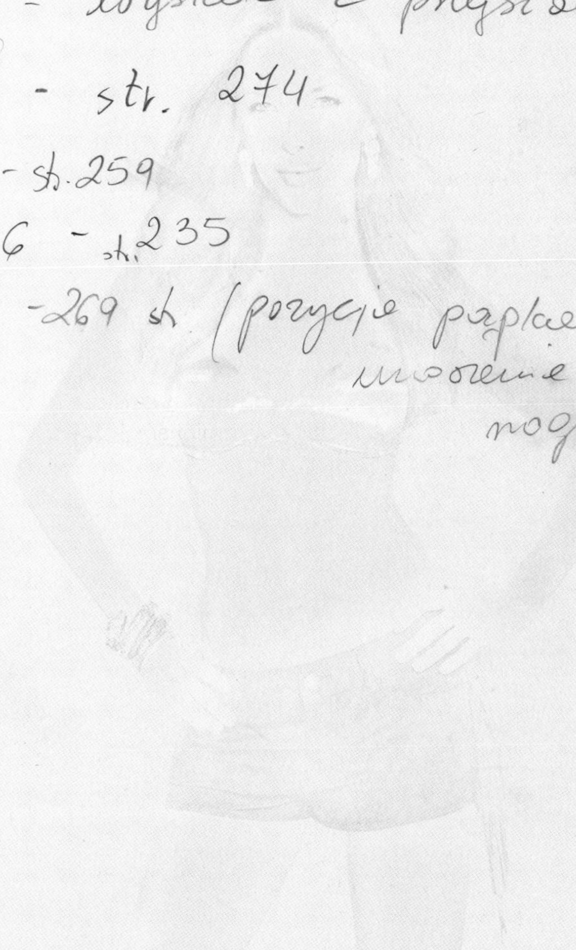

S 10 - wysłok z przysiadem

K 06 - str. 274

S 16 - st. 259

M-26 - st. 235

K 01 - 269 st. (pozycje papłac

unoszenie naprzemienne

nogi do góry

DZIEŃ 3
MOTYWACJA

Pewność siebie jest najbardziej atrakcyjną cechą!
Uśmiechnij się do swoich planów. Porzuć wszelkie wątpliwości,
wszystko jest możliwe. Nie wzdychaj, biernie przyglądając się
temu, co może wydawać się nieosiągalne. Porzuć wszelkie lęki
i obudź w sobie świadomość, że **aktywność fizyczna czyni cuda**!
Tak niewiele potrzeba do szczęścia. Dzięki treningowi,
samodyscyplinie, systematyczności i wytrwałości zaczniesz
nie tylko lepiej wyglądać, ale co najważniejsze, **lepiej się czuć**!
**Obudzisz w sobie siłę zarówno fizyczną, jak i mentalną,
która pozwoli Ci przeć do przodu nawet w najtrudniejszych
chwilach**. Na co czekasz?

JADŁOSPIS
DZIEŃ 3

ŚNIADANIE
kanapki z dwóch kromek chleba razowego z wędliną drobiową i kiełkami sojowymi,
5 łyżek półtłustego sera twarogowego z rzodkiewkami i orzechami włoskimi

PRZEKĄSKA
koktajl owocowo-jogurtowy

OBIAD
cielęcina duszona z pieczarkami i pomidorami, brązowy ryż, kiszona kapusta, jogurt,
który można wykorzystać do picia lub jako sos do mięsa

PRZEKĄSKA

KOLACJA
sałatka z tuńczyka z puszki w sosie własnym, 2 łyżek ryżu dzikiego, kiszonego ogórka
i połówki świeżego ananasa skropiona oliwą

Koktajl owocowo-jogurtowy

SKŁADNIKI

szklanka jogurtu naturalnego (**250 g**)
mały banan (**180 g**)
mała garść czarnych jagód (**50 g**)
mała brzoskwinia (**150 g**)

SPOSÓB WYKONANIA

Wrzuć do blendera banana obranego ze skórki i opłukane jagody. Dodaj jogurt naturalny i zmiksuj. Obierz brzoskwinię, pokrój ją w drobne kawałki i dodaj do koktajlu. Całość miksuj jeszcze przez 5 sekund na wysokich obrotach.

Jogurt to doskonałe źródło wielu składników odżywczych, ale słynie przede wszystkim z zawartości dobroczynnych bakterii probiotycznych. Zwiększają one odporność organizmu, syntetyzują witaminy z grupy B, zmniejszają zagrożenie kolonizacji jelita przez bakterie chorobotwórcze. Ponadto jogurt to dobre źródło łatwo przyswajalnego wapnia i pełnowartościowego białka. Brzoskwinia dostarcza dużych ilości beta-karotenu chroniącego organizm przed zmianami nowotworowymi i miażdżycowymi, a także poprawiającego stan skóry (beta-karoten może być przekształcony do aktywnej formy witaminy A). Jagody to doskonałe źródło witaminy C i antocyjanów, które nadają im ciemną barwę. Antocyjany współdziałają z witaminą C w utrzymaniu prawidłowego stanu tkanki łącznej, wiążą metale ciężkie, nie dopuszczają do zatruć. Jagody działają korzystnie także na narząd wzroku. Banan jest dobry dla osób uprawiających sport, gdyż zawiera zarówno szybko wchłaniane cukry proste, jak i długołańcuchowe węglowodany, których wchłonięcie wymaga więcej czasu.

WARTO WIEDZIEĆ:

Błonnik zmniejsza ryzyko zachorowania na różnego rodzaju nowotwory (głównie jelita grubego), choroby serca, a także obniża „zły" cholesterol. Spowalnia usuwanie jedzenia z żołądka, a także zwiększa objętość spożywanych produktów, dzięki czemu pomaga zachować uczucie sytości. Błonnik spowalnia trawienie oraz przyswajanie węglowodanów i tłuszczów, co zapobiegania wahaniom insuliny. Stały poziom glukozy i insuliny sprzyja racjonalnemu odżywianiu – jedząc pokarmy bogate w błonnik, jesteśmy mniej głodni, a tym samym nie sięgamy po przekąski. Warto, by ilość błonnika w diecie wyniosła 25–30 g na dzień. Jedząc 5 porcji owoców i warzyw, produkty z pełnego ziarna, orzechy i nasiona, można z łatwością zapewnić sobie jego właściwą dawkę.

TRENING

- pięciominutowa rozgrzewka:
  wykonaj ćwiczenia (**R03, R01, R04, R05, R06**)
  każde po 1 minucie

- wykonaj 3 ćwiczenia
  (**S07** lewa noga, **S07** prawa noga, **M17**),
  każde po 30 sekund, z 10-sekundowymi przerwami,
  powtórz całość 3 razy, odpocznij minutę

- wykonaj 3 ćwiczenia
  (**S10, K15** lewa ręka, **K15** prawa ręka),
  każde po 30 sekund, z 10-sekundowymi przerwami,
  powtórz całość 3 razy, odpocznij minutę

- wykonaj 3 ćwiczenia
  (**S13, K18** lewa noga, **K18** prawa noga),
  każde po 30 sekund, z 10-sekundowymi przerwami,
  powtórz całość 3 razy, odpocznij minutę

- wykonaj 3 ćwiczenia
  (**K11** lewa noga, **K11** prawa noga, **M21**),
  każde po 30 sekund, z 10-sekundowymi przerwami,
  powtórz całość 3 razy, odpocznij minutę

- pięciominutowy cooldown (jak w innych ćwiczeniach)

OPCJONALNIE:
Dzisiaj nie korzystaj z windy.

Zanim zaczniesz trening, upewnij się, że wiesz, jaka jest
sekwencja ćwiczeń; przeczytaj uważnie opis i zadbaj o ich
poprawne wykonanie; w trakcie treningu nie trać czasu
na zaglądanie do planu treningu.

TWOJE NOTATKI

☐ **TRENING DNIA**
☐ **JADŁOSPIS DNIA**
☐ **PRZEPIS DNIA**

CO DLA SIEBIE DZISIAJ ZROBIŁAŚ?
JAK SIĘ CZUJESZ?

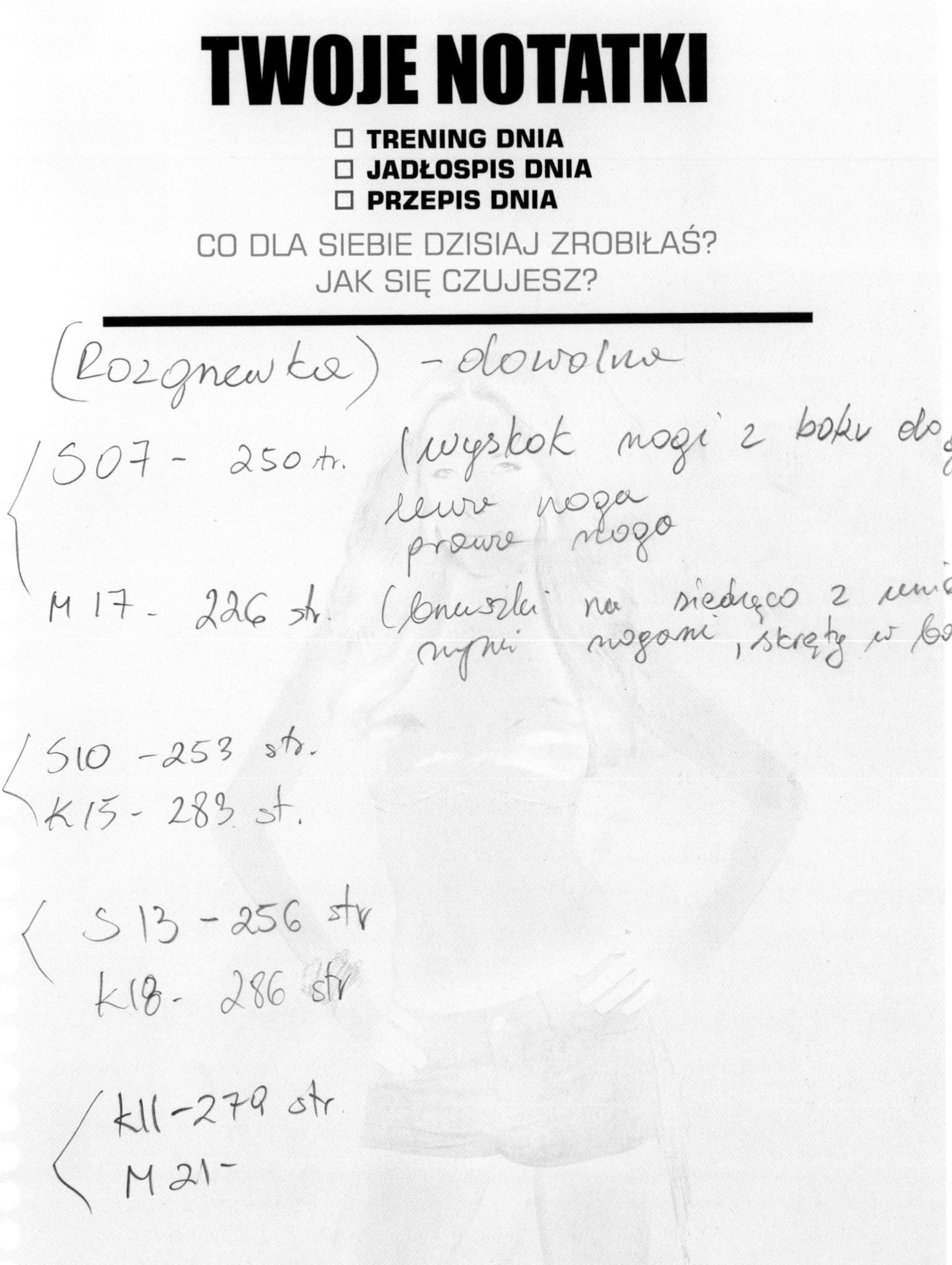

(Rozgrzewka) - dowolna

S07 - 250 tr. (wyskok nogi z boku do góry
lewa noga
prawa noga

M 17 - 226 str. (brzuszki na siedząco z uniesionymi nogami, skręty w bok

S10 - 253 str.
K15 - 283 st.

S 13 - 256 str
K18 - 286 str

K11 - 279 str.
M 21 -

DZIEŃ 4
MOTYWACJA

Zatykaj uszy kiedy ktoś mówi Ci, że nie dasz rady!
Wewnątrz Ciebie tkwi ogromna siła, która pomoże Ci się wspiąć
na szczyt swoich marzeń. Uwierz w siebie! Przestań się bać!
Nie odkładaj niczego na jutro! Nawet jeśli wyzwanie wiąże się
z wywróceniem życia do góry nogami. Im większe wyzwanie,
tym większa satysfakcja!
Już czas, żebyś była szczęśliwa :)

JADŁOSPIS
DZIEŃ 4

ŚNIADANIE
serek wiejski (150 g) z 3 mandarynkami i dwiema kromkami pełnoziarnistego pieczywa, szklanka kakao lub kawy inki z mlekiem

PRZEKĄSKA

OBIAD
mielona pierś indyka, brązowy ryż, warzywa: kalafior (200 g), zielona cięta fasolka, marchewki mini, zielony groszek (10 łyżek), bazylia, oregano, pieprz, natka pietruszki, lubczyk

PRZEKĄSKA

KOLACJA
grillowane warzywa z sosem winegret

Grillowane warzywa z sosem winegret

SKŁADNIKI

połowa małego bakłażana (**100 g**)
połowa cebuli (**50 g**)
120 g cukinii zielonej
120 g cukinii żółtej
połowa papryki (**120 g**)
pomidor (**200 g**)
łyżka oliwy (**10 g**)
ząbek czosnku (**5 g**)
chudy ser twarogowy (**80 g**)

Sos

sok z **1/3** grejpfruta (**100 ml**)
2 łyżki octu z czerwonego wina (**20 g**)
1/3 łyżeczki uprażonych nasion kminu rzymskiego
łyżka oliwy (**10 g**)
kilka listków świeżej mięty porwanych na kawałki

SPOSÓB WYKONANIA

Blachę wyłóż papierem do pieczenia. Bakłażana, pomidora, cukinię zieloną i żółtą pokrój na plasterki, cebulę na półpierścienie, paprykę na długie słupki. Wszystko wymieszaj i wyłóż na blachę. Dodaj posiekany ząbek czosnku. Warzywa włóż do mocno rozgrzanego piekarnika. Gdy zaczną tracić swój kształt, skrop je sokiem z grejpfruta z uprażonymi nasionami kminu rzymskiego, octem z czerwonego wina i porwanymi liśćmi mięty. Piecz na wolnym ogniu. Przed podaniem posyp pokruszonym białym serem twarogowym, dopraw do smaku solą i pieprzem.

Wszystkie warzywa zawierają błonnik pokarmowy. Jest on cennym składnikiem: sprzyja dłuższemu odczuwaniu sytości, obniża gęstość energetyczną i indeks glikemiczny produktów. Cechy te sprawiają, że błonnik jest pożądany w diecie osób dbających o smukłą sylwetkę. Błonnik przyspiesza perystaltykę jelit, zapobiega zaparciom, wspomaga rozwój pożądanej flory bakteryjnej. Różne warzywa to moc składników o niezastąpionym działaniu. Papryka zawiera kapsaicynę, która zwiększa termogenezę poposiłkową, co sprzyja odchudzaniu. Bakłażan, pomidor i cukinia zawierają znaczne ilości potasu obniżającego ciśnienie krwi, co nie jest bez znaczenia dla prawidłowego działania układu sercowo-naczyniowego. Fitoncydy z czosnku i cebuli działają przeciwzakrzepowo i bakteriobójczo.

WARTO WIEDZIEĆ:
Jeśli masz niepohamowany apetyt na słodycze, zastąp je czymś innym, na przykład: pestkami dyni – zawierają cynk, który hamuje uczucie wilczego głodu; imbirem – zawierającym wapń, magnez, fosfor i potas, jego intensywny aromat i smak hamuje apetyt na słodkie, a dodatkowo rozgrzewa i przyspiesza przemianę materii; jabłkami – oczyszczają organizm z toksyn, wspomagają przemianę materii, zawierają bogactwo witamin A, C, PP, B1, B2, zawierają kwasy organiczne, które pobudzają pracę przewodu pokarmowego, a więc są superprzekąską do pracy zamiast batonika; lodami czekoladowymi – zawierają tryptofan i teobrominę pobudzające wydzielanie „hormonu szczęścia"; poza tym dowiedziono, że im zimniejszy pokarm, tym mniej go zjemy.

TRENING

- pięciominutowa rozgrzewka:

  wykonaj ćwiczenia (R05, R01, R07, R06, R02)
  po 30 sekund i powtórz serię

- wykonaj 2 ćwiczenia

  (**S13, M33**), każde po 40 sekund z 20-sekundowymi
  przerwami oraz ćwiczenie R05 przez minutę,
  zrób minutę przerwy, całość powtórz 3 razy

- wykonaj 2 ćwiczenia

  (**S14, K10**), każde po 40 sekund z 20-sekundowymi
  przerwami oraz ćwiczenie R03 przez minutę,
  zrób minutę przerwy, całość powtórz 3 razy

- wykonaj 2 ćwiczenia

  (**M18, K06**), każde po 40 sekund z 20-sekundowymi
  przerwami, zrób minutę przerwy, oraz ćwiczenie **M14** przez minutę,
  całość powtórz 3 razy

- pięciominutowy cooldown:

  po zakończeniu programu spaceruj przez 3 minuty, unormuj oddech
  (wdech nosem, wydech ustami); połóż się na plecach, przyciągnij kolana
  do klatki piersiowej i obejmij je ramionami; przejdź do pozycji siedzącej,
  jedną nogę wyciągnij do przodu, drugą nogę ugnij do tyłu, pochyl tułów
  maksymalnie do przodu nad wyciągniętą nogą, utrzymaj tę pozę
  15 sekund i zmień pozycję nóg, oddychaj powoli

OPCJONALNIE:

W najbliższym centrum handlowym przejdź wszystkie piętra – po dwa
okrążenia każde.

W Internecie znajdziesz wiele darmowych aplikacji, które ułatwią Ci
mierzenie różnych parametrów podczas treningu.

TWOJE NOTATKI

☐ **TRENING DNIA**
☐ **JADŁOSPIS DNIA**
☐ **PRZEPIS DNIA**

CO DLA SIEBIE DZISIAJ ZROBIŁAŚ?
JAK SIĘ CZUJESZ?

DZIEŃ 5
MOTYWACJA

Eksploruj swoje możliwości!
Masz w sobie coś wyjątkowego. Coś co przychodzi Ci
z łatwością, co sprawia radość, co jest częścią
Twojej codzienności. To coś – dla Ciebie banalnie
proste – może okazać się niemałym wyzwaniem
dla drugiej osoby. Podziel się swoim talentem.
Dzięki temu możesz przynieść komuś szczęście, pomóc
w rozwiązaniu wielkiego dylematu albo w odzyskaniu
pewności siebie, zwyczajnie podnieść na duchu.
A może zainspirować i wskazać nowe horyzonty?
Nie zatrzymuj swojego daru tylko dla siebie. Daj z siebie
innym to, co masz najlepszego! Pomóż bezinteresownie.
Uszczęśliwiając innych, uszczęśliwiasz siebie.
Dobra energia zawsze do Ciebie wróci!

JADŁOSPIS
DZIEŃ 5

ŚNIADANIE
kanapki z dżemem: bułka grahamka, dwa plastry sera twarogowego, dwie łyżeczki dżemu niskosłodzonego z czarnej porzeczki, pestki słonecznika i dyni, szklanka jogurtu z kilkoma mrożonymi malinami

PRZEKĄSKA

OBIAD
zapiekanka z makaronu, filet z soli, szpinaku (świeżego lub mrożonego) i pieczarek (wcześniej duszonych z czosnkiem), do smaku pieprz, bazylia, sok z cytryny; na wierzchu ułożyć dwa plastry mozzarelli i zapiec

PRZEKĄSKA

KOLACJA
kanapka z łososiem i dodatkami

Kanapka z łososiem i dodatkami

SKŁADNIKI	SPOSÓB WYKONANIA
30 g łososia kromka pieczywa razowego (**30 g**) serek twarogowy (**30 g**) **3** oliwki (**10 g**) **2** plasterki pomidora (**40 g**) duży liść sałaty (**10 g**)	Oliwki posiekaj w drobną kostkę, wymieszaj z serkiem, posmaruj nim pieczywo. Na kanapce połóż liść sałaty, pomidor i łososia.

Pieczywo pełnoziarniste jest niezbędne w jadłospisie niemal każdej osoby. Mąka razowa i różne nasiona zawierają związki zwane liganami. Produkty obfitujące w ligany są szczególnie polecane kobietom, gdyż neutralizują niekorzystny wpływ estrogenów na organizm. Oliwki są jednym z najbogatszych źródeł skwalenu. Związek ten zwiększa odporność i przyspiesza procesy regeneracyjne w organizmie. Skwalen wpływa pozytywnie również na stan skóry. Pomidory to dobre źródło potasu, likopenu i witaminy C. Sałata, tak jak wszystkie zielone warzywa, zawiera spore ilości błonnika i magnezu. Łosoś to cenne źródło kwasów omega-3, które w korzystny sposób wpływają na działanie układu odpornościowego i sercowo-naczyniowego oraz przeciwdziałają stanom zapalnym w organizmie.

WARTO WIEDZIEĆ:
Nic tak korzystnie nie wpływa na nasze tętnice i poziom cholesterolu, jak oliwa będąca obok awokado najlepszym źródłem jednonienasyconych kwasów tłuszczowych. Obniża ona poziom złego cholesterolu, lekko podnosi poziom dobrego, a ponadto działa antyoksydacyjnie. Dla porównania inne oleje, takie jak sojowy, kukurydziany, słonecznikowy, obniżają poziom cholesterolu obu frakcji. Warto wspomnieć, że u osób, które spożywają dużo oliwy, poziom złego cholesterolu jest niższy niż u tych, które stosują prosta dietę ograniczającą tłuszcze zwierzęce. Warto pamiętać, że oliwę należy spożywać na surowo, na przykład do sałatek, lub poddawać lekkiemu podgrzewaniu na słabym ogniu podczas przyrządzania potraw.

TRENING

- pięciominutowa rozgrzewka:

  wykonaj ćwiczenia (**R05, R06, R07, R04, R03**) każde po 1 minucie

- wykonaj 10 ćwiczeń

  (**S07** lewa noga, **S07** prawa noga, **K13** lewa noga, **K13** prawa noga, **K17** lewa noga, **K17** prawa noga, **M07** lewa noga, **M07** prawa noga, **M10, M19**), każde po 30 sekund. Masz dwie przerwy po 30 sekund. Sama zdecyduj, kiedy z nich skorzystać. Po zakończeniu 10 ćwiczeń zrób 1 minutę przerwy; całość powtórz 4 razy

- pięciominutowy cooldown:

  po zakończeniu programu spaceruj przez 3 minuty, unormuj oddech (wdech nosem, wydech ustami); połóż się na plecach, przyciągnij kolana do klatki piersiowej i obejmij je ramionami; przejdź do pozycji siedzącej, jedną nogę wyciągnij do przodu, drugą nogę ugnij do tyłu, pochyl tułów maksymalnie do przodu nad wyciągniętą nogą, utrzymaj tę pozę 15 sekund i zmień pozycję nóg, oddychaj powoli

OPCJONALNIE:

Zamiast samochodem, pokonaj dzisiaj odległość do pracy/sklepu/koleżanki pieszo lub rowerem.

Nie rób przerw w czasie wykonywania ćwiczeń – jeśli jesteś zmęczona, zwolnij tempo.

TWOJE NOTATKI

- ☐ **TRENING DNIA**
- ☐ **JADŁOSPIS DNIA**
- ☐ **PRZEPIS DNIA**

CO DLA SIEBIE DZISIAJ ZROBIŁAŚ?
JAK SIĘ CZUJESZ?

DZIEŃ 6
MOTYWACJA

Nikt nie powiedział, że będzie łatwo przezwyciężać swoje słabości, pokonywać przeszkody, przekraczać granice wytrzymałości naszego ciała. To nie lada sztuka.
Jednak gra jest warta świeczki! Cały Twój trud zostanie wynagrodzony wymarzonym efektem, dlatego zamiast szukać wymówek, poddawać się w przedbiegach, zbierz wszystkie siły i wygraj sama ze sobą. Uczucie satysfakcji jest bezcenne!

ŚNIADANIE
jajecznica z dwóch jajek i dwóch białek ze szczypiorkiem i pomidorem, 2 kromki pełnoziarnistego chleba żytniego, szklanka świeżo wyciśniętego soku z pomarańczy

PRZEKĄSKA

OBIAD
placuszki z cukinii z sosem jogurtowym

PRZEKĄSKA

KOLACJA
sałatka: 2 płaskie łyżki otrębów owsianych, ogórek kiszony, pół marchewki, garść dowolnych kiełków, 5 łyżek groszku zielonego, 2 plastry białego sera, oliwa, do smaku sok z cytryny, pieprz

Placuszki z cukinii z sosem jogurtowym

SKŁADNIKI

połowa cukinii (**200 g**)
2 czubate łyżki mąki typu 1850 (**25 g**)
1 jajo (**50 g**)
pół średniej cebuli (**50 g**)
łyżka oliwy (**10 g**)
1/3 łyżki świeżego posiekanego oregano
1/3 łyżki świeżej posiekanej bazylii
pieprz ziołowy
szczypta soli

Sos jogurtowy
100 g jogurtu greckiego
100 g ogórka
pół ząbka czosnku (**3 g**)
1/4 łyżeczki posiekanej mięty
łyżeczka soku z cytryny (**5 g**)

SPOSÓB WYKONANIA

Cukinię obierz, zetrzyj na tarce o dużych oczkach. Jajko rozmieszaj w miseczce, dodaj mąkę, cukinię i posiekane zioła. Z powstałej masy uformuj okrągłe placuszki. Rozgrzej oliwę na patelni. Placuszki smaż z obu stron do łagodnego zbrązowienia.
Wyłóż na ręczniki papierowe.
Obrany ogórek zetrzyj na małych oczkach, wymieszaj z jogurtem, dodaj przeciśnięty przez praskę czosnek i parę drobno porwanych listków mięty.
Dip dopraw solą, pieprzem i sokiem z cytryny.

Cukinia, tak jak wszystkie warzywa, działa alkalizująco na organizm człowieka. Podobne właściwości ma jogurt, ponieważ zawiera znaczne ilości wapnia. Odpowiednie pH płynów ustrojowych jest niezbędne, aby w organizmie mogły zachodzić odpowiednie reakcje chemicznie. Mięta, oregano i bazylia to źródła cennych bioflawonoidów o działaniu antyoksydacyjnym. Zioła te zmniejszają działanie wolnych rodników, które mogą być przyczyną wielu chorób. Bioflawonoidy wzmacniają naczynia krwionośne i zwiększają ich wytrzymałość na podwyższone ciśnienie. Czosnek to źródło kwercetyny, która hamuje wzrost komórek nowotworowych. Cebula i czosnek zawierają fitoncydy, które działają przeciwbakteryjnie, przeciwzapalnie i ochronnie w stosunku do układu krążenia.

WARTO WIEDZIEĆ:
Magnez jest pierwiastkiem bardzo istotnym dla pracy naszego układu nerwowego. Wspomaga kurczliwość mięśni, razem z wapniem sprzyja utrzymaniu zdrowych kości. Dla kobiet istotne jest także to, że łagodzi stany napięcia przedmiesiączkowego, przeciwdziałając zatrzymywaniu wody w organizmie oraz regulację stężenia cukru we krwi. Magnez możemy znaleźć w zielonych warzywach, orzechach, nasionach, roślinach strączkowych, płatkach owsianych oraz ziemniakach.

TRENING

- pięciominutowa rozgrzewka:

  wykonaj ćwiczenia (R03, R01, R04, R05, R06) każde po 1 minucie

  Resztę treningu ułożysz sama :)
  Ćwiczenia znajdujące się na końcu książki podzielone są na 4 grupy. Z każdej grupy wybierz swoje ulubione ćwiczenia.

- wykonaj 4 ćwiczenia

  (każdej z innej grupy) po 30 sekund, odpocznij 1 minutę, powtórz całość 5 razy

- wykonaj kolejne 4 ćwiczenia

  po 30 sekund, odpocznij 1 minutę, powtórz całość 5 razy

- pięciominutowy cooldown:

  po zakończeniu programu spaceruj przez 3 minuty, unormuj oddech (wdech nosem, wydech ustami); połóż się na plecach, przyciągnij kolana do klatki piersiowej i obejmij je ramionami; przejdź do pozycji siedzącej, jedną nogę wyciągnij do przodu, drugą nogę ugnij do tyłu, pochyl tułów maksymalnie do przodu nad wyciągniętą nogą, utrzymaj tę pozę 15 sekund i zmień pozycję nóg, oddychaj powoli

OPCJONALNIE:
Dzisiaj pora na Twoją ulubioną, dodatkową formę ruchu: basen, tenis, jogging – co wolisz!

Jeśli wybierasz ćwiczenia na prawą i lewą stronę, podziel czas na pół i wykonuj je przez 15 sekund na każdą stronę.

TWOJE NOTATKI

☐ **TRENING DNIA**
☐ **JADŁOSPIS DNIA**
☐ **PRZEPIS DNIA**

CO DLA SIEBIE DZISIAJ ZROBIŁAŚ?
JAK SIĘ CZUJESZ?

DZIEŃ 7
MOTYWACJA

Trenując, nabierzesz pewności siebie, wewnętrznej siły.
Dzięki temu wszystkie przeciwności losu okażą się błahostką.
Nie poddawaj się! Trenuj ciało, a wytrenujesz umysł!
Jesteś szybsza, silniejsza, wytrwalsza, niż byłaś wczoraj!
**Twoje ciało jest w stanie zrobić znacznie więcej,
niż podpowiada Ci umysł!**

ŚNIADANIE

bananowa owsianka z płatkami migdałowymi: 4 łyżki płatków owsianych, szklanka mleka, 2 łyżeczki płatków migdałowych, banan

PRZEKĄSKA

OBIAD

krokiety z mąki razowej z warzywami

PRZEKĄSKA

KOLACJA

sałatka caprese: sałata, pomidor, mozzarella light (100 g), oliwa z oliwek łyżeczka, grzanka z chleba razowego

Krokiety z mąki razowej z warzywami

SKŁADNIKI

Ciasto
4 łyżki mąki razowej (**60 g**)
pół łyżki pestek słonecznika (**5 g**)
pół łyżki pestek dynia nasiona (**5 g**)
pół szklanki maślanki (**100 g**)
pół jaja (**25 g**)
woda gazowana do uzyskania pożądanej konsystencji
szczypta soli

Farsz
pół czerwonej papryki (**125 g**)
pół małej cebuli (**50 g**)
mały pomidor (**200 g**)
połowa małego bakłażana (**100 g**)
2 garście szpinaku (**50 g**)
2 łyżki serka wiejskiego (**50 g**)
2 łyżki gęstego jogurtu (**25 g**)
sól, pieprz do smaku

SPOSÓB WYKONANIA

Rozmieszaj jajo, dodaj maślankę, przesiej mąkę do miski. Całość dokładnie wymieszaj. Aby otrzymać pożądaną konsystencję, dodawaj wodę gazowaną. Do powstałej masy dodaj szczyptę soli, pestki dyni i słonecznika.
Wszystko dokładnie wymieszaj i smaż naleśniki na patelni niewymagającej użycia oleju.
Cebulę pokrój w półkrążki, podsmaż na jasnozłoty kolor. Na patelnię wrzuć też szpinak, odrobinę czosnku, grillowaną w piekarniku paprykę, bakłażana oraz pomidora obranego ze skórki. Dodaj odrobinę jogurtu i serek wiejski, wszystko podduś razem, dopraw do smaku solą i pieprzem. Wyłóż farsz na naleśniki i zwiń jak krokiety.

Mąka razowa pod względem wartości odżywczej jest znacznie lepsza od białych, wysoko oczyszczonych mąk – zawiera kilka razy więcej składników odżywczych, witamin i błonnika. Produkty z ciemnej mąki nie powodują gwałtownego wzrostu poziomu insuliny we krwi, a tym samym nie powodują tycia. W maślance znajduje się kwas tłuszczowy CLA, który sprzyja redukcji tkanki tłuszczowej, a także wykazuje działanie przeciwmiażdżycowe i przeciwcukrzycowe. Wapń zawarty w jogurcie neutralizuje działanie kwasu szczawiowego ze szpinaku, dzięki czemu wapń nie jest „kradziony" z naszego organizmu. Pestki dyni to istotne źródło żelaza, cynku, a przede wszystkim wielonienasyconych kwasów tłuszczowych. Wielonienasycone kwasy tłuszczowe redukują poziom cholesterolu, obniżają ciśnienie krwi. Cynk stymuluje działanie układu nerwowego, wzmacnia odporność.

WARTO WIEDZIEĆ:
Wapń najlepiej przyswajamy w obecności magnezu. Idealne połączenia to na przykład: jogurt i płatki zbożowe lub pieczywo pełnoziarniste z serem twarogowym i sałatą. Wapń jest niezbędnym składnikiem pożywienia. Pomaga utrzymać zdrowie kości i zębów, a także zapobiega osteoporozie. Wspomaga krzepliwość krwi. A możemy go znaleźć m.in. w zielonych warzywach liściastych, mleku, serze, jogurtach, szprotkach, owocach morza. Dorosły człowiek potrzebuje około 1000–1200 mg wapnia dziennie. Taką ilość mogą nam zapewnić 3 plasterki sera żółtego lub 3 szklanki mleka lub jogurtu. Jego wchłanianie utrudniają: nadmiar fosforanów w diecie, fityniany (pełne ziarna zbóż), szczawiany (szczaw, szpinak, rabarbar) i nadmiar błonnika.

TRENING

- pięciominutowa rozgrzewka:
  wykonaj ćwiczenia (R05, R06, R07, R04, R03)
  każde po 1 minucie

- wykonaj 5 ćwiczeń
  (**S15** prawa noga, **S15** lewa noga, **S18, K09, M28**)
  po 30 sekund, odpocznij 1 minutę, powtórz całość 4 razy

- wykonaj 5 ćwiczeń
  (**S08** prawa noga, **S08** lewa noga, **S17, K04, M13**)
  po 30 sekund, odpocznij 1 minutę, powtórz całość 4 razy

- pięciominutowy cooldown:
  po zakończeniu programu spaceruj przez 3 minuty, unormuj
  oddech (wdech nosem, wydech ustami); połóż się na plecach,
  przyciągnij kolana do klatki piersiowej i obejmij je ramionami;
  przejdź do pozycji siedzącej, jedną nogę wyciągnij do przodu,
  drugą nogę ugnij do tyłu, pochyl tułów maksymalnie do przodu
  nad wyciągniętą nogą, utrzymaj tę pozę 15 sekund i zmień
  pozycję nóg, oddychaj powoli

OPCJONALNIE:
Ponadto o innej porze dnia niż wykonany trening wybierz się
na 20-minutowy spacer lub na rower.

Aby utrzymać równowagę, skieruj wzrok w jeden stabilny punkt.
Patrz przed siebie, nie w podłogę.

TWOJE NOTATKI

☐ **TRENING DNIA**
☐ **JADŁOSPIS DNIA**
☐ **PRZEPIS DNIA**

CO DLA SIEBIE DZISIAJ ZROBIŁAŚ?
JAK SIĘ CZUJESZ?

DZIEŃ 8
MOTYWACJA

Ty też zasługujesz na szczęście! Walcz o swoje lepsze jutro.
Jesteś wyjątkowa, dlatego bez względu na to, w jakiej
sytuacji się znajdujesz, pozostań sobą!
Po całym dniu to Ty będziesz musiała spojrzeć sobie
w oczy – tylko od Ciebie zależy, czy poczujesz dumę,
czy rozczarowanie.

JADŁOSPIS
DZIEŃ 8

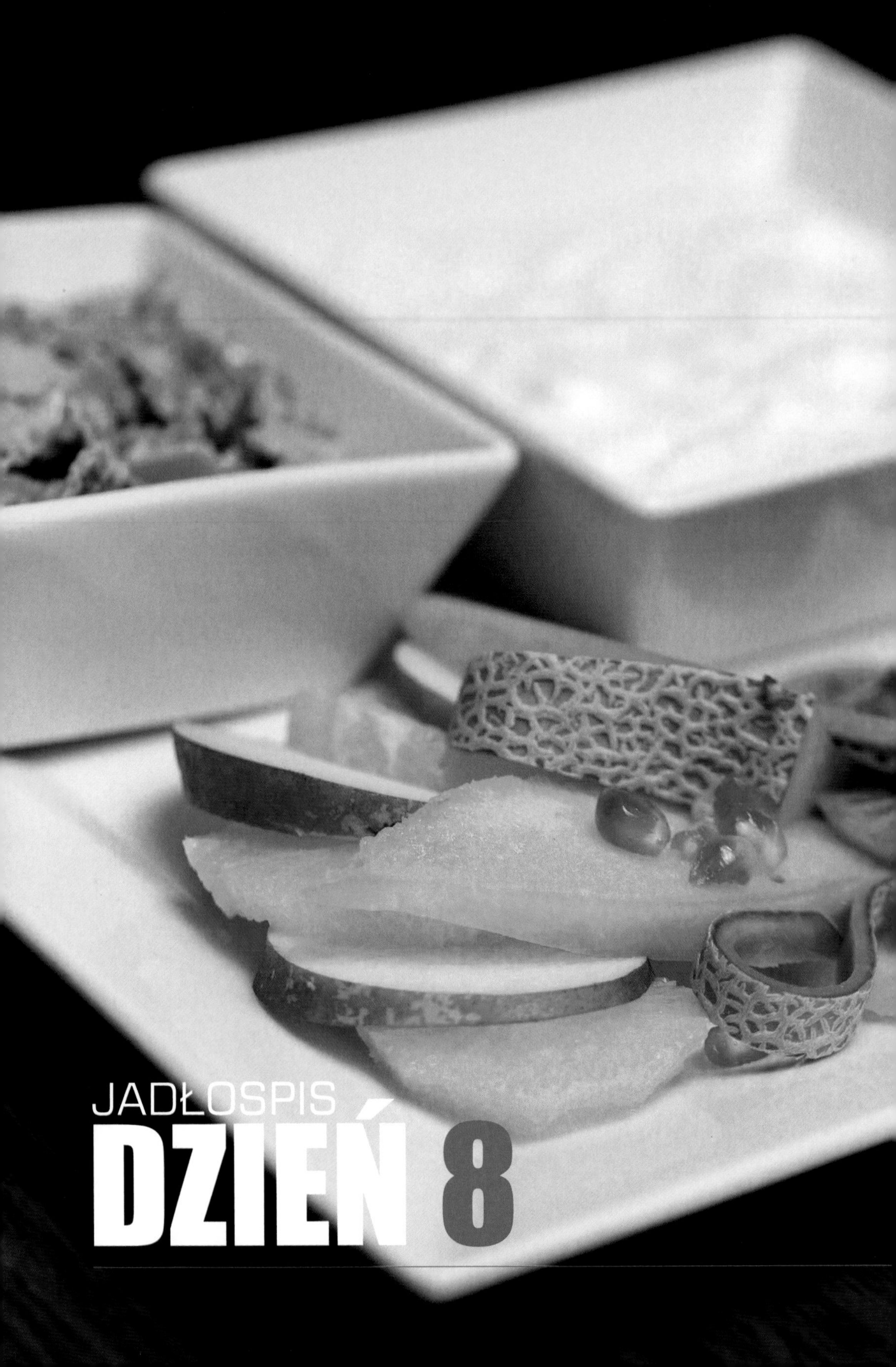

ŚNIADANIE
Po prostu FIT

PRZEKĄSKA

OBIAD
spaghetti z makaronu razowego, z mięsem drobiowym i sosem ze świeżych pomidorów oraz surówka z kapusty pekińskiej, pomidora, cebuli, ogórka, czosnku, skropić oliwą z oliwek

PRZEKĄSKA

KOLACJA
sałatka z serem pleśniowym: 2 różyczki brokułów, duży pomidor, ser pleśniowy (25 g), szklanka jogurtu naturalnego, łyżeczka musztardy, odrobina soli, pieprzu, świeża lub suszona bazylia, natka pietruszki, grzanka

Po prostu FIT

SKŁADNIKI

muesli (**100 g**)
jogurt naturalny (**200–250 ml**)
świeże owoce (**150 g**)

SPOSÓB WYKONANIA

Ulubione owoce pokrój według upodobania i polej sokiem z limonki (nie ma takiej potrzeby, jeśli są to owoce jeżynowe). Muesli zalej jogurtem, wsyp owoce i wymieszaj.

Śniadanie z muesli, jogurtu i owoców to doskonała dawka energii pochodzącej z węglowodanów i białka, „paliwo" na wiele godzin. Muesli to źródło niezbędnego do prawidłowej pracy mózgu magnezu. Natomiast błonnik zawarty w owocach wypełnia nasz żołądek, przez co zapewnia nam uczucie sytości na długi czas.

WARTO WIEDZIEĆ:

Burak to doskonała przekąska w trakcie stosowania diety. Zawiera nawet 6% błonnika, który pomaga w trawieniu i na długo zapewnia uczucie sytości. Buraki wzmacniają odporność organizmu na choroby wirusowe, a także są niezbędnym składnikiem diety osób z anemią. Zawierają witaminę C, karoten, żelazo, magnez, potas, wapń, a także kwas foliowy oraz krzem, który w połączeniu z witaminą C ma właściwości odmładzające. Krzem jest pierwiastkiem który pomaga w budowie kości, poprzez uczestnictwo w przyswajaniu wapnia. A beta-cyjanina, barwnik buraków, pomaga w walce z komórkami rakowymi.

TRENING

- pięciominutowa rozgrzewka:
  wykonaj ćwiczenia (R05, R01, R07, R06, R02)
  po 30 sekund i powtórz serię

- wykonaj 2 ćwiczenia
  (S11, K01), każde po 20 sekund z 10-sekundowymi przerwami, powtórz całość 4 razy, odpocznij minutę

- wykonaj 2 ćwiczenia
  (S07 prawa noga, S07 lewa noga), każde po 20 sekund
  z 10-sekundowymi przerwami, powtórz całość 4 razy, odpocznij minutę

- wykonaj 2 ćwiczenia
  (K17 prawa noga, K17 lewa noga), każde po 20 sekund
  z 10-sekundowymi przerwami, powtórz całość 4 razy, odpocznij minutę

- wykonaj 2 ćwiczenia
  (M23, M15), każde po 20 sekund z 10-sekundowymi przerwami,
  powtórz całość 4 razy, odpocznij minutę

- pięciominutowy cooldown:
  po zakończeniu programu spaceruj przez 3 minuty, unormuj oddech (wdech nosem, wydech ustami); połóż się na plecach, przyciągnij kolana do klatki piersiowej i obejmij je ramionami; przejdź do pozycji siedzącej, jedną nogę wyciągnij do przodu, drugą nogę ugnij do tyłu, pochyl tułów maksymalnie do przodu nad wyciągniętą nogą, utrzymaj tę pozę 15 sekund i zmień pozycję nóg, oddychaj powoli

OPCJONALNIE:
Dodatkowo o innej porze dnia niż trening przez 20 minut wchodź i schodź po schodach w wolnym tempie.

W trakcie wykonywania ćwiczeń funkcjonalnych wciąż napinaj mięśnie brzucha, co pomoże ci utrzymać równowagę.

TWOJE NOTATKI

☐ **TRENING DNIA**
☐ **JADŁOSPIS DNIA**
☐ **PRZEPIS DNIA**

CO DLA SIEBIE DZISIAJ ZROBIŁAŚ?
JAK SIĘ CZUJESZ?

DZIEŃ 9
MOTYWACJA

Ciesz się szczęściem drugiego człowieka! Wspieraj tych,
którzy dążą do celu. Porzuć westchnienia: „dlaczego to nie
mnie się udało?", „dlaczego to nie ja?", „też bym tak chciała".
A co robisz, żeby to osiągnąć?
Walcz o swoje szczęście i dawaj radość innym! Podnoś na duchu
tych, którzy w siebie wątpią. Motywuj, podaj pomocną dłoń.
Całe dobro, które dajesz, wróci do Ciebie!

JADŁOSPIS
DZIEŃ 9

ŚNIADANIE

omlet z musem malinowym i serem: jajko, 2 białka, mrożone maliny, łyżeczka miodu pszczelego, gruby plaster chudego sera twarogowego, otręby pszenne, oliwa

PRZEKĄSKA

OBIAD

łosoś z purée bazyliowym

PRZEKĄSKA

KOLACJA

sałatka á la grecka: sałata lodowa, pół czerwonej papryki, pół ogórka, pomidor, pół cebuli, kilka zielonych marynowanych oliwek, po łyżeczce oleju sojowego i octu balsamicznego, 1/3 opakowania sera feta light, kromka pieczywa chrupkiego

Łosoś z purée bazyliowym

SKŁADNIKI

filet z łososia (**150 g**)
ziemniaki (**150 g**)
kilka gałązek świeżej bazylii
orzeszki ziemne bez soli (**25 g**)
pół ząbka czosnku
oliwa z oliwek (**50 ml**)
mleko (**50 g**)
sok z ćwiartki cytryny
sól, pieprz

SPOSÓB WYKONANIA

Filet ze świeżego łososia (bez ości, ze skórą oskrobaną z łusek) grillujemy lub smażymy na patelni. Rybę obsmażamy najpierw ze skórą, i dopiekamy w piekarniku w temperaturze 220 stopni przez około 8 min. Bazylię miksujemy z orzeszkami, czosnkiem i sokiem z cytryny, stopniowo dolewając oliwę. Doprawiamy do smaku solą i pieprzem. Ugotowane ziemniaki ubijamy z pesto bazyliowym, dodając mleko.

Łosoś jest jednym z produktów bogatych w kwasy omega-3. Kwasy te są niezbędne do prawidłowego funkcjonowanie mózgu, prawidłowej pracy metabolizmu, odpowiedniej aktywności hormonalnej, a także poprawiają kondycję skóry, włosów i paznokci. Ich spożywanie opóźnia procesy starzenia się skóry. Oprócz łososia bogate w kwasy omega-3 są: makrela, pstrąg, halibut, śledź, sardynki, orzechy włoskie, pestki dyni, siemię lniane, awokado i olej lniany.

WARTO WIEDZIEĆ:

Ziemniaki dostarczają organizmowi witaminę C, a zawarty w nich błonnik sprzyja spalaniu tłuszczu. Po ich spożyciu na długo znika uczucie głodu, dzięki potasowi oczyszczają organizm. Bazylia używana najczęściej w postaci świeżej lub suszonej to niezbędny składnik dań. Najlepiej dodawać ją do sałatek i zup, duszonych warzyw. Jest składnikiem prawie wszystkich włoskich dań, świetnie komponuje się z makaronem i pomidorami, to także składnik pesto. Jest to także przyprawa, która poprawia trawienie, zapobiegając wzdęciom. Olej z orzeszków ziemnych dorównuje swoimi walorami oliwie z oliwek. Z orzeszków arachidowych produkuje się masło orzechowe, które zawiera zdrowe tłuszcze roślinne, cukier, sól i nieznaczne ilości szkodliwych tłuszczów trans - to niezastąpiona przekąska po intensywnym treningu. Orzechy te są dobrym pokarmem dla osób z cukrzycą.

TRENING

- pięciominutowa rozgrzewka:
  wykonaj ćwiczenia (R03, R01, R04, R05, R06)
  każde po 1 minucie

- wykonaj 3 ćwiczenia
  (**S09, S04, M31**), każde po 30 sekund,
  z 10-sekundowymi przerwami, powtórz całość 3 razy,
  odpocznij minutę

- wykonaj 3 ćwiczenia
  (**K13** lewa noga, **K13** prawa noga, R02 szybko),
  każde po 30 sekund, z 10-sekundowymi przerwami,
  powtórz całość 3 razy, odpocznij minutę

- wykonaj 3 ćwiczenia
  (R03, **S15** prawa noga, **S15** lewa noga),
  każde po 30 sekund, z 10-sekundowymi przerwami,
  powtórz całość 3 razy, odpocznij minutę

- wykonaj 3 ćwiczenia
  (**S23, S24, S21**), każde po 30 sekund,
  z 10-sekundowymi przerwami, powtórz całość 3 razy,
  odpocznij minutę

- pięciominutowy cooldown (jak w innych ćwiczeniach)

OPCJONALNIE:
Dzisiaj nie korzystaj z windy.

Kiedy zaczynasz nowe ćwiczenie, najpierw staraj się je prawidłowo wykonać, potem je pogłębiaj, a następnie zwiększ jego tempo.

TWOJE NOTATKI

☐ **TRENING DNIA**
☐ **JADŁOSPIS DNIA**
☐ **PRZEPIS DNIA**

CO DLA SIEBIE DZISIAJ ZROBIŁAŚ?
JAK SIĘ CZUJESZ?

DZIEŃ 10
MOTYWACJA

Aktywność fizyczna to nie tylko ciało! Trening to nie przymus, a zdrowe odżywianie to nie restrykcyjna dieta.
Przyjdzie taki dzień, kiedy poczujesz, że to, co robisz, robisz przede wszystkim dla siebie. Robisz to po to, żeby czuć się dobrze z samą sobą, aby jak najdłużej być zdrowa i sprawna, aby czerpać radość z życia i zwykłych prostych rzeczy.
Robisz to, bo jesteś ważna dla siebie i innych!
Aktywność fizyczna to świadomy wybór, który owocuje w każdej dziedzinie Twojego życia.
Dbaj o siebie każdego dnia i czerp z tego przyjemność!

JADŁOSPIS
DZIEŃ 10

ŚNIADANIE
kanapka z kurczakiem

PRZEKĄSKA

OBIAD
pstrąg pieczony w warzywach (pomidor, cebula, papryka, czosnek) z purée
ziemniaczanym z koperkiem, sok z cytryny, oliwa, koper, bazylia i miks sałat z jogurtem

PRZEKĄSKA

KOLACJA
grzanki z dwóch kromek pieczywa pełnoziarnistego z mozzarellą (100 g), pomidorem
i bazylią, czosnkiem, łyżeczką siemienia lnianego, łyżeczką oliwy

Kanapka z kurczakiem

SKŁADNIKI

kromka ciemnego pieczywa lub razowa bułka
musztarda z ziarnami gorczycy
rukola
szczypiorek
50 g kurczaka (najlepiej mięso z udka lub piersi)

SPOSÓB WYKONANIA

Kurczaka zamarynuj w łyżce oliwy z odrobiną rozmarynu
lub tymianku, szczyptą soli morskiej, świeżo mielonego
pieprzu i ząbka czosnku. Piecz w temperaturze 170 stopni,
aż się zarumienieni (około 30 minut). Pokrój w plastry.
Na kromkę pieczywa połóż kurczaka, posmaruj niewielką
ilością musztardy, dodaj rukolę, posyp szczypiorkiem,
dopraw ziołami do smaku.

Kurczak jest świetnym źródłem cennego białka i żelaza. Żelazo pochodzenia zwierzęcego jest
lepiej przyswajalne niż roślinne. Mięso zawiera mało wapnia, za to dużo fosforu i cynku, a także
miedź, magnez, siarkę. Jest bardzo dobrym źródłem wszystkich witamin z grupy B. Ciemne
pieczywo to źródło węglowodanów złożonych, których obecność w naszej diecie na długo
zaspokaja nasz głód, a także jest źródłem cennego błonnika. Musztarda od wieków była
stosowana jako środek poprawiający ukrwienie i działający wykrztuśnie. Działa ona również
przeciwbakteryjnie, a także poprawia przemianę materii, przez co pomaga spalać nadwyżki
kalorii. Dowiedziono, że spożywanie niepełnej łyżeczki musztardy każdego dnia zwiększało
przemianę materii o 25%, co pozwalało spalić dodatkowe 45 kcal dziennie. Rukola często
pojawia się na naszych stołach ze względu na bogactwo witamin A, C, B, magnezu, żelaza,
wapnia i fosforu oraz doskonałemu aromatowi, dzięki zawartości olejków eterycznych.

WARTO WIEDZIEĆ:
*Białko to niezwykle istotny element budowy wszystkich tkanek. Wchodzi w skład skóry, włosów
oraz paznokci. Jego niedobór może prowadzić do zwiotczenia skóry, nadmiernego wypadania
włosów. Dlatego warto zadbać o jego obecność w diecie. Białka pełnowartościowe, które
zawierają wszystkie niezbędne aminokwasy wykorzystywane do syntezy białek własnych,
można znaleźć w produktach pochodzenia zwierzęcego: mięsie zwierząt, rybach, jajach, mleku.
Natomiast większość białek roślinnych posiada znacznie mniejszą wartość odżywczą i dlatego
są niepełnowartościowe. Produkty zbożowe można uzupełnić dodatkiem produktów mlecz-
nych albo nasionami roślin strączkowych, żeby dostarczyć organizmowi wszystkich niezbędnych aminokwasów w odpowiednich ilościach. Doskonałe połączenie stanowią na przykład
fasola i gorące warzywa z ryżem lub makaronem, muesli albo ryż z soczewicą, tofu z warzywami i ryżem czy kanapka z masłem orzechowym.*

TRENING

- pięciominutowa rozgrzewka:
  wykonaj ćwiczenia (R05, R01, R07, R06, R02)
  po 30 sekund i powtórz serię

- wykonaj 2 ćwiczenia
  (**S11, M24**), każde po 40 sekund z 20-sekundowymi przerwami

- wykonaj ćwiczenie
  R02 przez minutę, zrób minutę przerwy, całość powtórz 3 razy

- wykonaj 2 ćwiczenia
  (**S14, M22**), każde po 40 sekund z 20-sekundowymi przerwami
  oraz ćwiczenie R08 przez minutę, zrób minutę przerwy,
  całość powtórz 3 razy

- wykonaj 2 ćwiczenia
  (**M26, K07**), każde po 40 sekund z 20-sekundowymi przerwami
  oraz ćwiczenie **M16** przez minutę, zrób minutę przerwy,
  całość powtórz 3 razy

- pięciominutowy cooldown:
  po zakończeniu programu spaceruj przez 3 minuty, unormuj oddech
  (wdech nosem, wydech ustami); połóż się na plecach, przyciągnij
  kolana do klatki piersiowej i obejmij je ramionami; przejdź do pozycji
  siedzącej, jedną nogę wyciągnij do przodu, drugą nogę ugnij do tyłu,
  pochyl tułów maksymalnie do przodu nad wyciągniętą nogą,
  utrzymaj tę pozę 15 sekund i zmień pozycję nóg, oddychaj powoli

OPCJONALNIE:
W najbliższym centrum handlowym przejdź wszystkie
piętra – po dwa okrążenia każde.

Przerwij ćwiczenia, gdy poczujesz ból stawów – Twój kręgosłup,
kolana i ramiona są ważniejsze niż codzienny trening.

TWOJE NOTATKI

☐ **TRENING DNIA**
☐ **JADŁOSPIS DNIA**
☐ **PRZEPIS DNIA**

CO DLA SIEBIE DZISIAJ ZROBIŁAŚ?
JAK SIĘ CZUJESZ?

DZIEŃ 11
MOTYWACJA

Szczęście to świadomy wybór! To część Twojego wnętrza, którą sama kontrolujesz. Nic dobrego nie może się zdarzyć, kiedy Twój umysł się zamartwia. Nie czekaj, aż będziesz miała więcej pieniędzy, piękniejszy dom, lepszy związek, zgrabniejsze ciało… **To nie działa w ten sposób**.
Wymyśl siebie! Wyznacz cel i zacznij go realizować, pamiętając, że to nie on, ale droga do niego prowadząca jest najważniejsza. Spełniaj się bez wątpliwości i negatywnych emocji. Po prostu poczuj się szczęśliwa już teraz!

JADŁOSPIS
DZIEŃ 11

ŚNIADANIE
sałatka: 3 łyżki kuskusu i tuńczyka, do tego łyżeczka nasion sezamu, średniej wielkości ogórek kwaszony, rzodkiewki, jogurt naturalny 2%

PRZEKĄSKA

OBIAD
ryż basmati z filetem z kurczaka nadziewanym szpinakiem

PRZEKĄSKA

KOLACJA
leczo cukiniowo-pieczarkowe z mozzarellą: 200 g świeżych pieczarek, pół czerwonej papryki, łyżeczka oliwy z oliwek, 3 łyżki koncentratu pomidorowego, cukinia, 3 plastry sera mozzarella

---

Ryż basmati z filetem z kurczaka nadziewanym szpinakiem

SKŁADNIKI

ryż basmati (**50 g**)
filet z piersi kurczaka (**150 g**)
4 garście szpinaku (**100 g**)
łyżka serka wiejskiego (**30 g**)
2 łyżki jogurtu (**20 g**)
1 łyżka sezamu (**10 g**)
pół ząbka czosnku (**3 g**)
sól, pieprz

SPOSÓB WYKONANIA

Ryż basmati gotuj na średnim ogniu przez około 15 minut. Filety z kurczaka rozbij tłuczkiem na cienkie plastry. Posyp na jednej stronie solą i pieprzem. Szpinak podsmaż na patelni z łyżką oliwy, dodaj czosnek przeciśnięty przez praskę. Pod koniec gotowania do ryżu dodaj odrobinę jogurtu, serka wiejskiego, całość dopraw do smaku solą i pieprzem. Połącz ryż ze szpinakiem. Powstałą masę nakładaj na płaty mięsa i zawijaj w ruloniki (spinaj je wykałaczką). Zawinięte filety posmaruj białkiem, obtocz w sezamie i usmaż na oliwie.

Mięso z piersi kurczaka jest cennym źródłem białka i zawiera znikomą ilość tłuszczu, dlatego jest polecane osobom dbającym o linię. Drób dostarcza łatwo przyswajalnego żelaza, a także jest źródłem argininy, która stymuluje ochronę immunologiczną organizmu. Szpinak jest bogaty w witaminę K, która wpływa na prawidłowe krzepnięcie krwi. Szpinak powinny spożywać osoby, których praca wymaga dobrej kondycji narządu wzroku. Warzywo to zawiera barwnik plamki żółtej – luteinę, ale też spore ilości beta-karotenu stymulującego odporność organizmu i poprawiającego stan skóry. Sezam zawiera związek o nazwie sezamina. Hamuje ona działanie nadmiernej ilości wolnych rodników przyczyniających się do powstawania wielu chorób i szybszego starzenia się organizmu. Ponadto sezamina regeneruje witaminę E, która wpływa na prawidłowe działanie układu płciowego u kobiet i mężczyzn.

WARTO WIEDZIEĆ:
Jogurt jest dobrą i zdrową alternatywą dla osób nietolerujących laktozy. Bakterie zawarte w jogurcie zaczynają trawić ten cukier jeszcze zanim dotrze do przewodu pokarmowego – dlatego nie powoduje on takich przykrych dolegliwości, jak mleko. Jogurt to ponadto źródło cennego wapnia, które wspomaga odchudzanie i przeciwdziała osteoporozie, a także pokarm mający działanie przeciwnowotworowe i przeciwbakteryjne.

TRENING

- pięciominutowa rozgrzewka:
  wykonaj ćwiczenia (R05, R06, R07, R04, R03)
  każde po 1 minucie

- wykonaj 10 ćwiczeń
  (**S04, S06** lewa noga, **S06** prawa noga, **M09, K12** lewa strona,
  K12 prawa strona, **M06** lewa noga, **M06** prawa noga,
  M11, M12), każde po 30 sekund.
  Masz dwie przerwy po 30 sekund. Sama zdecyduj, kiedy z nich
  skorzystać.
  Po zakończeniu 10 ćwiczeń zrób 1 minutę przerwy;
  całość powtórz 4 razy

- pięciominutowy cooldown:
  po zakończeniu programu spaceruj przez 3 minuty, unormuj
  oddech (wdech nosem, wydech ustami); połóż się na plecach,
  przyciągnij kolana do klatki piersiowej i obejmij je ramionami;
  przejdź do pozycji siedzącej, jedną nogę wyciągnij do przodu,
  drugą nogę ugnij do tyłu, pochyl tułów maksymalnie do przodu
  nad wyciągniętą nogą, utrzymaj tę pozę 15 sekund i zmień
  pozycję nóg, oddychaj powoli

OPCJONALNIE:
Zamiast samochodem, pokonaj dzisiaj odległość
do pracy/sklepu/koleżanki pieszo lub rowerem.

Podczas planowania ćwiczeń pamiętaj, że im szybszą muzykę
wybierzesz, tym szybciej będziesz ćwiczyć i wykonasz więcej
powtórzeń.

TWOJE NOTATKI

☐ **TRENING DNIA**
☐ **JADŁOSPIS DNIA**
☐ **PRZEPIS DNIA**

CO DLA SIEBIE DZISIAJ ZROBIŁAŚ?
JAK SIĘ CZUJESZ?

DZIEŃ 12
MOTYWACJA

Uśmiechnij się do świata! Nie będziesz długo czekać
na odpowiedź. Jeśli coś nie poszło po Twojej myśli,
nie załamuj się, nie złość. Dopiero z perspektywy czasu
zrozumiesz, że coś Ci to dało. Czasem najtrudniejsza chwila
okazuje się zbawienna, kiedy patrzymy na nią przez pryzmat
minionych dni, miesięcy czy nawet lat! Warto czasem dać się
ponieść losowi i zaufać temu, co jest nam pisane.
Nigdy nie określaj się mianem pechowca – pech nie istnieje!
Głowa do góry! Wskakuj w wygodny strój i ćwicz.
Uśmiech sam pojawi się na twarzy!

JADŁOSPIS
DZIEŃ 12

ŚNIADANIE
owsianka

PRZEKĄSKA

OBIAD
zupa ogórkowa zabielana jogurtem, udka z kurczaka pieczone bez skóry w sosie jogurtowo-koperkowym z dwoma ziemniakami pieczonymi w mundurkach, posypanymi natką pietruszki, surówka z pora, marchwi i selera skropiona oliwą

PRZEKĄSKA

KOLACJA
chudy twaróg z łososiem i pomidorami: 100 g sera chudego, 50 g wędzonego łososia, pomidor, pół cebuli, dwie kromki chleba na zakwasie

Owsianka

SKŁADNIKI

80 g płatków owsianych
3 suszone śliwki
pół banana
pół jabłka
250 ml mleka/mleka sojowego/wody

SPOSÓB WYKONANIA

Zalej płatki wcześniej przegotowaną wodą i odstaw na 20 minut. Następnie gotuj mleko wraz z odcedzonymi płatkami, aż uzyskasz odpowiadającą Ci konsystencję. Pod koniec gotowania dodajemy pokrojoną śliwkę i plastry jabłka. Po zdjęciu z ognia dodajemy pokrojony banan.

Owsianka to najlepszy sposób na obniżenie złego cholesterolu. Ponadto miseczka rano to, po pierwsze, doskonała dawka energii ze względu na zawartość węglowodanów złożonych, które na długo zaspokajają nasz głód, po drugie, dawka korzystnego błonnika poprawiającego nasze trawienie, a po trzecie, źródło przeciwutleniaczy, które wraz z cynkiem i krzemem wpływają na poprawę kondycji naszej skóry i kości. Dowiedziono również, że owies wspomaga walkę z nałogiem nikotynowym.

WARTO WIEDZIEĆ:
Banan to bogactwo potasu, a także tryptofanu, czyli aminokwasu który jest niezbędny do tworzenia przez organizm białka strukturalnego, przeciwciał i serotoniny. Banany to też źródło witaminy B. Jabłka zawierają kwasy organiczne, które pobudzają pracę przewodu pokarmowego. Są źródłem błonnika, który oprócz szeregu witamin takich jak A, B, C, PP, stanowi cenny składnik diety osób będących na diecie. Bogate w błonnik suszone śliwki ułatwiają spalanie tłuszczu, a zawarte w śliwkach pektyny na długo zwiększają uczucie sytości. Suszone owoce są ratunkiem dla słodyczoholików.

TRENING

- pięciominutowa rozgrzewka:

  wykonaj ćwiczenia (R03, R01, R04, R05, R06)
  każde po 1 minucie

  Resztę treningu ułożysz sama :)
  Ćwiczenia znajdujące się na końcu książki podzielone są
  na 4 grupy. Z każdej grupy wybierz swoje ulubione ćwiczenia.

- wykonaj 4 ćwiczenia

  (każde z innej grupy) po 30 sekund, odpocznij 1 minutę, powtórz
  całość 5 razy

- wykonaj kolejne 4 ćwiczenia

  po 30 sekund, odpocznij 1 minutę, powtórz całość 5 razy

- pięciominutowy cooldown:

  po zakończeniu programu spaceruj przez 3 minuty, unormuj
  oddech (wdech nosem, wydech ustami); połóż się na plecach,
  przyciągnij kolana do klatki piersiowej i obejmij je ramionami;
  przejdź do pozycji siedzącej, jedną nogę wyciągnij do przodu,
  drugą nogę ugnij do tyłu, pochyl tułów maksymalnie do przodu
  nad wyciągniętą nogą, utrzymaj tę pozę 15 sekund i zmień
  pozycję nóg, oddychaj powoli

OPCJONALNIE:
Dzisiaj pora na Twoją ulubioną, dodatkową formę ruchu: basen,
tenis, jogging – co wolisz!

Robiąc przysiady i wypady nogi, trzymaj kolana dokładnie
nad stopami i staraj się przenosić ciężar ciała na pięty,
a nie na palce.

TWOJE NOTATKI

☐ **TRENING DNIA**
☐ **JADŁOSPIS DNIA**
☐ **PRZEPIS DNIA**

CO DLA SIEBIE DZISIAJ ZROBIŁAŚ?
JAK SIĘ CZUJESZ?

DZIEŃ 13
MOTYWACJA

Odpręż się przed snem, zamknij oczy i poczuj spokój. Pozwól, aby marzenia swobodnie pojawiały się w Twojej wyobraźni i wizualizowały. Bądź myślami tam, gdzie chcesz. Jesteś tą osobą, którą zawsze chciałaś się stać. Nie wahaj się, sięgaj gwiazd! Zasypiaj z błogim uśmiechem, a w głowie miej już osiągnięty cel. Jutro znów wydarzy się coś, co będzie kolejnym krokiem na drodze do spełnienia Twoich marzeń! Ale pamiętaj – szczęściu trzeba pomóc, więc nie siedź bezczynnie. Uwierz w siebie!

DZIEŃ 13

ŚNIADANIE

owsianka orzechowa: szklanka mleka, 4 łyżki płatków owsianych, 2 łyżeczki siemienia lnianego, 2 łyżeczki posiekanych orzechów włoskich, pestek dyni, suszona morela, rodzynki, 2 owoce kiwi

PRZEKĄSKA

OBIAD

gołąbki z mięsem drobiowym i włoskimi orzechami duszone w sosie pomidorowym

PRZEKĄSKA

KOLACJA

zupa rybna: 80 g soli, marchew, pietruszka, pół papryki czerwonej lub żółtej, duży pomidor, pół cebuli, natka pietruszki, sól, pieprz, liście laurowe, grzanka z kromki chleba razowego

---

Gołąbki z mięsem drobiowym i włoskimi orzechami duszone w sosie pomidorowym

SKŁADNIKI

220 ml przecieru pomidorowego
200 g mięsa z piersi kurczaka
pół jabłka (**100 g**)
50 g cebuli
kapusta włoska,
1 jajko (**50 g**)
sucha bułka graham (**30 g**)
3 łyżki mleka (**30 g**)
ząbek czosnku (**5 g**)
kilka listków bazylii
kilka listków oregano
liść laurowy
dwa ziarnka ziela angielskiego

SPOSÓB WYKONANIA

Mięso z piersi kurczaka zmiel, wymieszaj ze startą cebulą, startym jabłkiem, czosnkiem przeciśniętym przez praskę, jajem, odciśniętą z mleka bułką. Upraż orzechy na patelni i dodaj do farszu. Całość dopraw do smaku solą i pieprzem. Z kapusty zerwij zewnętrzne liście, obgotuj ją we wrzącej osolonej wodzie przez 10–15 minut, odejmuj wierzchnie liście. Zawijaj farsz w liście kapusty. Zagotuj bulion drobiowy, dodaj do niego przecier pomidorowy, liście bazylii, oregano, liść laurowy, ziele angielskie. W garnku ułóż gołąbki i gotuj na wolnym ogniu.

Kapusta to cenne źródło błonnika, witaminy K i luteiny. Witamina K warunkuje prawidłowe krzepnięcie krwi. W przewodzie pokarmowym działa bakteriobójczo. Luteina warunkuje prawidłowe widzenie. Warzywa kapustne słyną przede wszystkim z obecności tiocyjanianów i indoli. Związki te chronią przed nowotworami żołądka, przełyku i jelita grubego. Orzechy włoskie to źródło cennych składników, zawierają znaczne ilości manganu, chromu, selenu i witaminy H, dostarczają także białka, tłuszczy (również kwasów omega-3), które wzmacniają odporność i chronią przed chorobami układu sercowo-naczyniowego.

WARTO WIEDZIEĆ:

Ryż brązowy to składnik większości diet odchudzających. Dzięki zawartości cukrów złożonych na długo zapewnia uczucie sytości. Węglowodany w nim zawarte są powoli uwalniane w organizmie. Zapobiega to skokom insuliny we krwi, co jest niezwykle ważne dla osób chorujących na cukrzycę. Ryż brązowy jest zbożem niezawierającym glutenu, dlatego często stanowi podstawowy składnik diety osób z celiakią. To również bogactwo witamin z grupy B, kwasu foliowego, cynku, magnezu, żelaza i potasu.

TRENING

- pięciominutowa rozgrzewka:
  wykonaj ćwiczenia (R05, R06, R07, R04, R03)
  każde po 1 minucie

- wykonaj 5 ćwiczeń
  (**S03** prawa noga, **S03** lewa noga, **S10, K10, M17**)
  po 30 sekund, odpocznij 1 minutę, powtórz całość 4 razy

- wykonaj 5 ćwiczeń
  (**S07** prawa noga, **S07** lewa noga, **S17, K16, M19**)
  po 30 sekund, odpocznij 1 minutę, powtórz całość 4 razy

- pięciominutowy cooldown:
  po zakończeniu programu spaceruj przez 3 minuty, unormuj
  oddech (wdech nosem, wydech ustami); połóż się na plecach,
  przyciągnij kolana do klatki piersiowej i obejmij je ramionami;
  przejdź do pozycji siedzącej, jedną nogę wyciągnij do przodu,
  drugą nogę ugnij do tyłu, pochyl tułów maksymalnie do przodu
  nad wyciągniętą nogą, utrzymaj tę pozę 15 sekund i zmień
  pozycję nóg, oddychaj powoli

OPCJONALNIE:
Ponadto o innej porze dnia niż wykonany trening wybierz się
na 20-minutowy spacer lub na rower.

Ćwiczenia przed lustrem pomogą ci skontrolować
technikę i skorygować błędy.

TWOJE NOTATKI

☐ **TRENING DNIA**
☐ **JADŁOSPIS DNIA**
☐ **PRZEPIS DNIA**

CO DLA SIEBIE DZISIAJ ZROBIŁAŚ?
JAK SIĘ CZUJESZ?

DZIEŃ 14
MOTYWACJA

Walcz! Osiągnięcie wyznaczonego celu, spełnienie marzeń
to tylko kwestia samozaparcia, wiary i poświęcenia czasu!
Myśl tylko pozytywnie. Wiedz, czego chcesz. Omiń wielkim
łukiem zawiść i gniew. Przecież nie potrzebujesz tego w swoim
życiu. Niech dzisiejszy dzień będzie naprawdę szczęśliwy!

JADŁOSPIS
DZIEŃ 14

ŚNIADANIE
śniadanie po polsku z jajecznicą

PRZEKĄSKA

OBIAD
miseczka kremu z pora z pestkami słonecznika, dwa gołąbki z kapusty włoskiej z kaszą gryczaną i mięsem z indyka w sosie pomidorowym z jogurtem, podawane z sałatką z pomidora, papryki zielonej i cebuli czerwonej z oliwą

PRZEKĄSKA

KOLACJA
miseczka sałatki jarzynowej z jogurtem, kromka pieczywa pełnoziarnistego

Śniadanie po polsku z jajecznicą

SKŁADNIKI

kilka listków świeżej rukoli/sałaty lodowej/roszponki
3 kawałki świeżego pomidora
3 kawałki ogórka
jajka (**1** żółtko, **4** białka)
sok z cytryny lub ocet balsamiczny albo jabłkowy, oliwa z oliwek, sól, pieprz

SPOSÓB WYKONANIA

Pomidora i ogórka ułóż na sałatach, polej sokiem z cytryny lub octem, oliwą z oliwek, dodaj świeży pieprz i cebulę.
Do jajecznicy wykorzystaj cztery białka i jedno żółtko.
Na patelnię wlej łyżeczkę oliwy lub oleju rzepakowego.
Zetnij jajka według własnego upodobania.
Gotową jajecznicę możesz posypać szczypiorkiem.
Dopraw solą i pieprzem.

Jajka zawierają cholinę, której zadaniem jest wytwarzanie neuroprzekaźnika – acetylocholiny. Jej niedobór przyczynia się do spadku koncentracji i zaburzeń pamięci. Obawy przed jedzeniem jajek są zupełnie nieuzasadnione. Jajko zawiera przeciętnie 65% wody, 12% białka i 10% tłuszczu, ponadto cukry i związki mineralne, takie jak witaminy A, D i E zawarte w żółtku. Jest ono produktem o bardzo dużej wartości odżywczej, a białko jaja kurzego zawiera odpowiedni skład aminokwasowy, jest lekkostrawne i łatwo przyswajalne. To, czego się boimy, to cholesterol zawarty w żółtku – niepotrzebnie, ponieważ jest on unieszkodliwiany przez obecną w jajkach lecytynę. Pamiętajmy jednak, żeby nie jadać więcej niż cztery żółtka tygodniowo! Jajka zawierają cholesterol, którego rolą jest nawilżanie i ochrona skórę przed wysuszeniem. To też źródło witaminy A, która odmładza oraz lecytyny, która jest naturalnym przeciwutleniaczem o właściwościach nawilżających.

WARTO WIEDZIEĆ:
Ogórek w diecie to nie tylko warzywo o niewielkiej zawartości kalorii ale także o właściwościach odkwaszających i wpływających korzystnie na nasze trawienie. 100 g ogórków dostarcza zaledwie 12 kcal. Warzywo to skutecznie gasi pragnienie i orzeźwia. Jest więc często dodatkiem do soków w letnie, upalne dni. Wadą ogórka jest jednak obecność askorbinazy, który niszczy witaminę C. Dlatego przyrządzając sałatki z warzyw, pamiętajmy, aby te z ogórkiem w składzie były jak najszybciej zjedzone. Pomidor to źródło likopenu, który zmniejsza poziom złego cholesterolu. Jest doskonałym warzywem dla osób będących na diecie, bo 80 g pomidora to zaledwie 19 kcal.

TRENING

- pięciominutowa rozgrzewka:
  wykonaj ćwiczenia (**R05, R01, R07, R06, R02**)
  po 30 sekund i powtórz serię

- wykonaj 2 ćwiczenia
  (**S09, M19**), każde po 20 sekund z 10-sekundowymi przerwami,
  powtórz całość 4 razy, odpocznij minutę

- wykonaj 2 ćwiczenia
  (**S02** prawa noga, **S02** lewa noga), każde po 20 sekund
  z 10-sekundowymi przerwami, powtórz całość 4 razy, odpocznij minutę

- wykonaj 2 ćwiczenia
  (**K14** prawa strona, **K14** lewa strona), każde po 20 sekund
  z 10-sekundowymi przerwami, powtórz całość 4 razy, odpocznij minutę

- wykonaj 2 ćwiczenia
  (**M14, M01**), każde po 20 sekund z 10-sekundowymi
  przerwami, powtórz całość 4 razy, odpocznij minutę

- pięciominutowy cooldown:
  po zakończeniu programu spaceruj przez 3 minuty, unormuj oddech
  (wdech nosem, wydech ustami); połóż się na plecach, przyciągnij
  kolana do klatki piersiowej i obejmij je ramionami; przejdź do pozycji
  siedzącej, jedną nogę wyciągnij do przodu, drugą nogę ugnij do tyłu,
  pochyl tułów maksymalnie do przodu nad wyciągniętą nogą,
  utrzymaj tę pozę 15 sekund i zmień pozycję nóg, oddychaj powoli

OPCJONALNIE:
Dodatkowo o innej porze dnia niż trening przez 20 minut wchodź
i schodź po schodach w wolnym tempie.

Pamiętaj o ruchach ramion, gdy wykonujesz ćwiczenia
na nogi – spalisz więcej kalorii i poprawisz koordynację.

TWOJE NOTATKI

☐ **TRENING DNIA**
☐ **JADŁOSPIS DNIA**
☐ **PRZEPIS DNIA**

CO DLA SIEBIE DZISIAJ ZROBIŁAŚ?
JAK SIĘ CZUJESZ?

DZIEŃ 15
MOTYWACJA

Przechodzisz wyjątkową, całkowitą metamorfozę.
Jednak to Twoja wewnętrzna przemiana cieszy mnie najbardziej!
Kiedy jesteś aktywna, Twoje spojrzenie na świat staje się
łaskawsze. Jesteś życzliwsza dla napotkanych ludzi, bije
od Ciebie optymizm, entuzjazm i szczera radość.
To emocjonalna ewolucja. Twój nastrój się zmienia. Nabierasz
pewności siebie, czujesz smak endorfin.
Nie zatrzymuj tego szczęścia tylko dla siebie! Dziel się swoją
radością. Namawiaj wszystkich wokoło do podjęcia wyzwania!
Motywuj! Przecież sama już wiesz, że **warto**. Radość, którą się
nie dzielisz, w końcu gaśnie. Dzielona z wszystkimi wokół
zawsze do nas wróci.
Cudownego dnia!

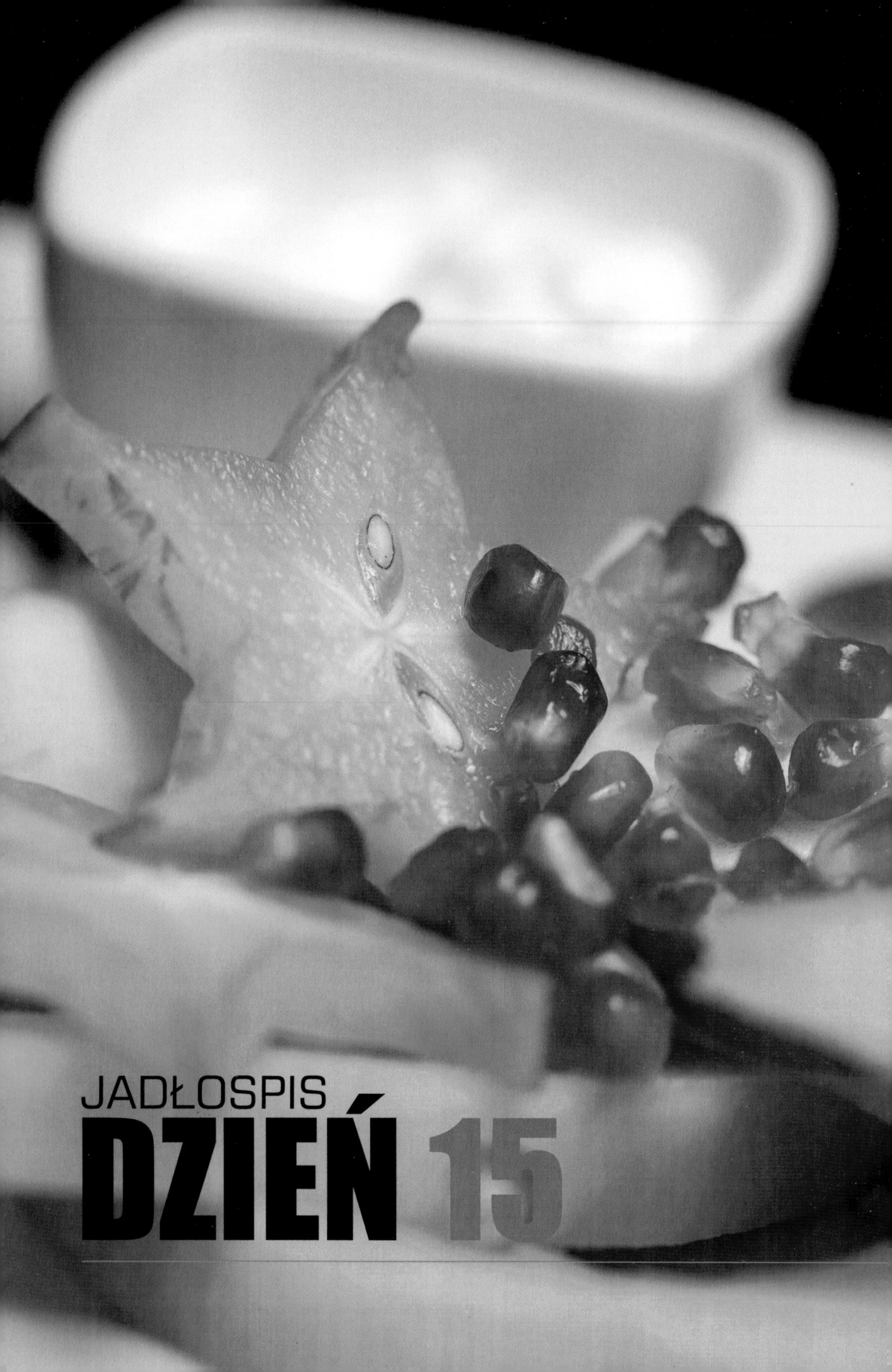

JADŁOSPIS

DZIEŃ 15

ŚNIADANIE
2 naleśniki na bazie mąki razowej z 2 plastrami chudego sera twarogowego polane 3 łyżkami jogurtu, posypane płatkami migdałowymi i pokrojonymi 2 mandarynkami

PRZEKĄSKA
sałatka owocowa

OBIAD
miseczka kremu z marchwi z pestkami dyni, stek z polędwicy wołowej z sosem jogurtowym z pieczonymi ziemniakami posypane obficie koperkiem i natką pietruszki, sałatka z buraczków tartych, cebuli, jabłka, łyżeczki tartych orzechów włoskich i kilku kostek sera feta light, polana oliwą i octem balsamicznym

PRZEKĄSKA

KOLACJA
melon w szynce wędzonej na rukoli: 4 plastry polędwicy łososiowej, 200 g melona, 50 g rukoli, 10 g octu balsamicznego, 1 kromka pieczywa ryżowego

Sałatka owocowa

SKŁADNIKI	**SPOSÓB WYKONANIA**
300 g sezonowych owoców sok z limonki **100 ml** jogurtu naturalnego **10 ml** miodu	Owoce skrop sokiem z limonki, do tego osobno podaj jogurt naturalny polany niteczkami miodu.

Cytrusy – grejpfruty, cytryny, limonki, pomarańcze – to skarbnica substancji takich jak karotenoidy, flawonoidy, kumaryny, terpeny, glutation. Ich współdziałanie sprawia, że cytrusy można zaliczyć do potencjalnych czynników antyrakowych. To również bogactwo witaminy C, która sprzyja regeneracji tkanek przez wzmacnianie ścian naczyń krwionośnych, jest także wskazana przy przeziębieniach. Sok z cytryny to doskonały wspomagacz w walce z kilogramami, ponieważ przyspiesza przemianę materii i spowalnia przemianę węglowodanów w tłuszcze. Warto pamiętać, że witamina C zawarta w cytrusach (ale nie tylko w nich, bo też w owocach dzikiej róży, czarnej porzeczki, truskawkach, papryce oraz natce pietruszki) wspomaga przyswajanie żelaza ze źródeł roślinnych.

WARTO WIEDZIEĆ:
Miód jest o wiele lepszy niż cukier i słodziki. Zawiera on składniki mineralne i witaminy z grupy B oraz substancje czynne mające działanie bakteriostatyczne. Łagodzi bóle gardła, działa nasennie i uspokajająco. Jest zdrowszy niż typowe substancje słodzące, dlatego słodząc na przykład herbatę, sięgajmy po miód.

TRENING

- pięciominutowa rozgrzewka:
  wykonaj ćwiczenia (R03, R01, R04, R05, R06)
  każde po 1 minucie

- wykonaj 3 ćwiczenia
  (S17, S18, M32), każde po 30 sekund,
  z 10-sekundowymi przerwami, powtórz całość 3 razy,
  odpocznij minutę

- wykonaj 3 ćwiczenia
  (S20 lewa noga, S20 prawa noga, S21),
  każde po 30 sekund, z 10-sekundowymi przerwami,
  powtórz całość 3 razy, odpocznij minutę

- wykonaj 3 ćwiczenia
  (M33, M30 lewa noga, M30 prawa noga),
  każde po 30 sekund, z 10-sekundowymi przerwami,
  powtórz całość 3 razy, odpocznij minutę

- wykonaj 3 ćwiczenia
  (K12 lewa strona, K12 prawa strona, M16),
  każde po 30 sekund, z 10-sekundowymi przerwami,
  powtórz całość 3 razy, odpocznij minutę

- pięciominutowy cooldown (jak w innych ćwiczeniach)

OPCJONALNIE:
Dzisiaj nie korzystaj z windy.

Gdy wykonujesz ćwiczenia na mięśnie brzucha w pozycji leżącej,
pamiętaj, żeby odcinek lędźwiowy kręgosłupa przylegał
do podłogi.

TWOJE NOTATKI

☐ **TRENING DNIA**
☐ **JADŁOSPIS DNIA**
☐ **PRZEPIS DNIA**

CO DLA SIEBIE DZISIAJ ZROBIŁAŚ?
JAK SIĘ CZUJESZ?

DZIEŃ 16
MOTYWACJA

Bądź sobą! Nie udawaj kogoś, kim nie jesteś. Jak każdy człowiek masz prawo wyboru, zatem podążaj we właściwym dla Ciebie kierunku. Zachowaj rozsądek i równowagę w uczuciach. Nie trać tego, co cenne. Trenuj swoje ciało, pokonuj swoje słabości i walcz o samoakceptację. **Pozostań sobą!**

DZIEŃ 16

ŚNIADANIE
jogurt z mieszanką płatków i ananasem: szklanka jogurtu naturalnego, plaster sera twarogowego, pół świeżego ananasa, 4 łyżki płatków owsianych, 2 łyżki pestek słonecznika

PRZEKĄSKA

OBIAD
łosoś w papilotach: jeden średni por, 3 łyżki słonego, gęstego jogurtu, szczypiorek, cytryna, natka pietruszki, pieprz, kolendra, pomidor, dziki ryż i sałatka z sałaty, cebuli, papryki, ogórka z łyżeczką oliwy

PRZEKĄSKA

KOLACJA
krem z brokułów

Krem z brokułów (dla 3–4 osób)

SKŁADNIKI

1 kg brokułów
2 marchewki
2 cebule
1 ziemniak
1 ząbek czosnku
0,5 l bulionu warzywnego lub drobiowego
1 opakowanie płatków migdałowych

SPOSÓB WYKONANIA

Ugotuj warzywa: brokuły osobno, resztę osobno. Róże brokułów włóż do wrzącej, lekko osłodzonej wody (słodka woda pomaga zachować ładny zielony kolor). Kiedy warzywa zmiękną, około 5 minut przed końcem gotowania dodajemy sól (warzywa, które są solone za wcześnie, dłużej się gotują). Następnie ugotowane brokuły i pozostałe warzywa wkładamy do jednego garnka, zalewamy bulionem (lub do wywaru z gotowanych warzyw dorzucamy po prostu brokuły) i miksujemy.
Dodajemy wyciśnięty ząbek czosnku, pieprz i sól do smaku. Zupę podajemy z prażonymi migdałami.

Brokuły są wyjątkowym warzywem o korzystnym działaniu przeciwnowotworowym. Dzięki dużej zawartości substancji włóknistych są bogatym źródłem błonnika, przez co przyczyniają się do obniżenia poziomu złego cholesterolu. Brokuły to warzywo bogate w przeciwutleniacze takie jak m.in. witamina C, beta-karoten, luteina, ale najwyższe ich wartości zachowują brokuły surowe lub lekko obgotowane. Mają również działanie przeciwwirusowe oraz pomagają przy leczeniu choroby wrzodowej. Są pomocne w diecie cukrzycowej ze względu na zawartość chromu. Przez bogate źródło chlorofilu stymulują produkcję czerwonych krwinek, bardzo istotną w walce z anemią.

WARTO WIEDZIEĆ:
Cebula zmniejsza ryzyko występowania raka żołądka, efekt ten niestety zmniejsza jej solenie. Cebula to też źródło siarki, przez co sprzyja wzmocnieniu kości, zębów, skóry, włosów i paznokci. Warzywo to obniża również poziom cholesterolu, a także jest naturalnym środkiem usuwającym toksyczne związki metali, a także pasożyty. Dlatego jest tak często stosowana jako cenny lek w trakcie przeziębień. Marchew to źródło beta-karotenu, czyli przeciwutle- niacza, a regularne jej spożywanie może opóźnić nasze starzenie. Marchew również pobudza nasz metabolizm, pomagając redukować tkankę tłuszczową. W marchewce znajdziemy także szereg minerałów i witamin m.in. sód, potas, wapń, magnez, żelazo, cynk i witaminy E, K, z grupy B. Marchew to też cenne warzywo w walce z cholesterolem. Warto wspomnieć, że 100 g marchewki to tylko 35 kcal.

TRENING

- pięciominutowa rozgrzewka:
  wykonaj ćwiczenia (R05, R01, R07, R06, R02)
  po 30 sekund i powtórz serię

- wykonaj 2 ćwiczenia
  (**S13, M33**), każde po 40 sekund z 20-sekundowymi
  przerwami oraz ćwiczenie R05 przez minutę, zrób minutę przerwy,
  całość powtórz 3 razy

- wykonaj 2 ćwiczenia
  (**S14, K10**), każde po 40 sekund z 20-sekundowymi
  przerwami oraz ćwiczenie R03 przez minutę, zrób minutę przerwy,
  całość powtórz 3 razy

- wykonaj 2 ćwiczenia
  (**M18, K06**), każde po 40 sekund z 20-sekundowymi
  przerwami oraz ćwiczenie R03 przez minutę, zrób minutę przerwy,
  całość powtórz 3 razy

- pięciominutowy cooldown:
  po zakończeniu programu spaceruj przez 3 minuty, unormuj oddech
  (wdech nosem, wydech ustami); połóż się na plecach, przyciągnij
  kolana do klatki piersiowej i obejmij je ramionami; przejdź do pozycji
  siedzącej, jedną nogę wyciągnij do przodu, drugą nogę ugnij do tyłu,
  pochyl tułów maksymalnie do przodu nad wyciągniętą nogą,
  utrzymaj tę pozę 15 sekund i zmień pozycję nóg, oddychaj powoli

OPCJONALNIE:
W najbliższym centrum handlowym przejdź wszystkie piętra – po dwa
okrążenia każde.

W trakcie treningu nie wstrzymuj oddechu.

TWOJE NOTATKI

☐ **TRENING DNIA**
☐ **JADŁOSPIS DNIA**
☐ **PRZEPIS DNIA**

CO DLA SIEBIE DZISIAJ ZROBIŁAŚ?
JAK SIĘ CZUJESZ?

DZIEŃ 17
MOTYWACJA

Nowe postanowienie: każdego dnia budzę się z determinacją
i zasypiam z satysfakcją! Planuję zdrowe posiłki. Pamiętam,
że nie jestem sama (trenerka jest ze mną!). Podejmuję wyzwania.
Kontroluję swoje ciało. Wiem, co jest moim marzeniem.
Nigdy się nie poddam!

JADŁOSPIS
DZIEŃ 17

ŚNIADANIE

owsianka malinowa: 5 łyżek płatków owsianych, 80 g mrożonych malin, starta kostka gorzkiej czekolady, szklanka mleka

PRZEKĄSKA

OBIAD

miseczka kalafiorowej zupy krem z pestkami dyni, sałatka z indykiem i pesto: porcja makaronu pełnoziarnistego, mięso z piersi indyka, pół żółtej papryki, łyżka pestek dyni, 2 łyżeczki pesto z bazylii, zioła, pieprz; dopraw i posyp pestkami dyni

PRZEKĄSKA

KOLACJA

omlet ze szpinakiem i pomidorem

Omlet ze szpinakiem i pomidorem

SKŁADNIKI

3 jajka
60 g (garstka) świeżego szpinaku
60 g (jeden średni) pomidora
10 g cebuli (ćwiartka dużej cebuli)
sól/pieprz do smaku.

SPOSÓB WYKONANIA

Oddzielamy żółtka od białek. Białka ubijamy na sztywno, na koniec dodajemy żółtka i sól z pieprzem. Pamiętajmy, aby żółtka połączyć z białkami mieszadełkiem, nie mikserem. Masę jajeczną wlewamy na patelnię, po około 5 minutach dodajemy przygotowane wcześniej i pokrojone według upodobania warzywa, przykrywamy patelnię pokrywką i na wolnym ogniu dosmażamy omlet. Jeżeli ktoś lubi surowy szpinak, można obsypać nim omlet zamiast sparzać go w omlecie.

Omlet to doskonała potrawa nie tylko na śniadanie, ale także na kolację. Jajka, a szczególnie zawarte w nich białko, sprzyjają chudnięciu. Aby wieczorem strawić białko nasz organizm, musi wykorzystać więcej energii. Białko przyspiesza metabolizm i pomaga zmniejszyć uczucie głodu bardziej efektywnie niż np. węglowodany. Pamiętajmy jednak o zdrowym rozsądku, nadmiar białka również nie jest dobry: zakwasza nasz organizm, przeciążając nerki i wątrobę, a także może odkładać się w postaci tkanki tłuszczowej. Szpinak dostarcza organizmowi niewielką ilość kalorii i szereg witamin, m.in. kwas foliowy, witaminę C i minerały, m.in. żelazo, które jest łatwo przyswajalne dla naszego organizmu i oczywiście wspomaga odchudzanie.

WARTO WIEDZIEĆ:

Niezbędny do życia tlen jest bardzo reaktywnym pierwiastkiem. Reaktywne substancje zwane wolnymi rodnikami atakują nasze DNA, przyczyniając się w efekcie do starzenia się komórek ciała, do powstawania nowotworów, chorób układu oddechowego. Możemy temu przeciwdziałać odpowiednio dobranym pożywieniem, które ma w sobie składniki pełniące zadanie przeciwutleniające czyli niszczące wolne rodniki. Należą do nich owoce i warzywa, ale szukajmy tych, które są jak najbardziej nasycone kolorem: czerwone winogrona, czerwona i żółta cebula, jabłka będące źródłem kwercetyny, czerwone grejpfruty, marchew, morele, czerwona i żółta papryka oraz dynia będące źródłem beta-karotenu, pomidory zawierające likopen, kapusta, czosnek, kalafior, brokuły, borówki, kiwi, owoce cytrusowe – bogate źródło witaminy C. Oprócz warzyw silne właściwości przeciwutleniające mają też składniki zawarte w orzechach, nasionach, pestkach dyni (witamina młodości E i selen), a także w zielonej herbacie (katechiny).

TRENING

- pięciominutowa rozgrzewka:

  wykonaj ćwiczenia (**R05, R06, R07, R04, R03**)
  każde po 1 minucie

- wykonaj 10 ćwiczeń

  (**S10, S08** lewa noga, **S08** prawa noga, **K15** lewa strona,
  K15 prawa strona, **M01, K18** lewa noga, **K18** prawa noga,
  M08 lewa noga, **M08** prawa noga), każde po 30 sekund.
  Masz dwie przerwy po 30 sekund. Sama zdecyduj, kiedy z nich
  skorzystać.
  Po zakończeniu 10 ćwiczeń zrób 1 minutę przerwy;
  całość powtórz 4 razy

- pięciominutowy cooldown:

  po zakończeniu programu spaceruj przez 3 minuty, unormuj
  oddech (wdech nosem, wydech ustami); połóż się na plecach,
  przyciągnij kolana do klatki piersiowej i obejmij je ramionami;
  przejdź do pozycji siedzącej, jedną nogę wyciągnij do przodu,
  drugą nogę ugnij do tyłu, pochyl tułów maksymalnie do przodu
  nad wyciągniętą nogą, utrzymaj tę pozę 15 sekund i zmień
  pozycję nóg, oddychaj powoli

OPCJONALNIE:
Zamiast samochodem, pokonaj dzisiaj odległość
do pracy/sklepu/koleżanki pieszo lub rowerem.

Jedz co najmniej dwie godziny przed treningiem,
ale nigdy nie ćwicz na czczo.

TWOJE NOTATKI

☐ **TRENING DNIA**
☐ **JADŁOSPIS DNIA**
☐ **PRZEPIS DNIA**

CO DLA SIEBIE DZISIAJ ZROBIŁAŚ?
JAK SIĘ CZUJESZ?

DZIEŃ 18
MOTYWACJA

Zadbaj o swój umysł i ciało tak, żeby dało Ci to przyjemność!

- na dzisiejszej czystej kartce napisz, za co lubisz samą siebie i wypełnij ją nowymi postanowieniami
- spójrz w lustro łaskawym okiem, zwróć szczególną uwagę na swoje dobre punkty
- nie narzucaj sobie sztywnych reguł związanych z jedzeniem, żebyś nie czuła się winna, gdy je złamiesz
- nie licz obsesyjnie kalorii, jedzenie powinno być przyjemnością – jest zdrowe, ma smak, to nie tylko źródło energii
- nie stosuj „diet", po prostu odżywiaj się racjonalnie i zdrowo; słuchaj swojego apetytu, nie przejadaj się i nie doprowadzaj do „głodówki"
- nie katuj się za karę po przejedzeniu – ani treningami, ani niejedzeniem

Ciesz się treningiem. Baw się aktywnością.
Ustal sobie pozytywne cele.
A wszystko to dla zdrowia i dobrego samopoczucia!

ŚNIADANIE
150 g serka wiejskiego ze szczypiorkiem i rzodkiewką, dwie kromki pieczywa razowego, szklanka kakao

PRZEKĄSKA

OBIAD
pieczone szaszłyki z indyka

PRZEKĄSKA

KOLACJA
sałatka z dwoma plastrami wędzonego kurczaka, bobem, pomidorem, papryką czerwoną, kilkoma listkami sałaty, natką pietruszki i sosem winegret, łyżka otrąb pszennych

Pieczone szaszłyki z indyka

SKŁADNIKI

mięso z piersi indyka (**150 g**)
po **50 g** papryki żółtej i czerwonej
ćwiartka cukinii (**150 g**)
100 g cebuli
łyżka oliwa (**10 g**)
łyżka octu balsamicznego (**10 g**)
sól, pieprz

SPOSÓB WYKONANIA

Namocz patyczki do szaszłyków w wodzie. Mięso z piersi indyka polej octem balsamicznym, posyp solą i pieprzem, pokrój na grubą kostkę. Paprykę pokrój w kostkę o boku mniej więcej 3 cm. Cukinię pokrój na plastry grubości około pół centymetra. Cebulę pokrój na grube krążki. Wszystkie składniki nadziewaj naprzemiennie na patyczek. Rozgrzej oliwę na patelni grillowej, usmaż szaszłyki.

Mięso z piersi indyka zawiera znikome ilości tłuszczu: 0,7 g na 100 g produktu i aż 19,2% białka. Mięso to jest szczególnie niskokaloryczne, chętnie spożywają je osoby odchudzające się i sportowcy. Czerwona papryka to jedno z najlepszych źródeł witaminy C w naszej diecie. Papryka zawiera również spore ilości witamy A, E, beta-karotenu i potasu oraz związek zwany kapsaicyną, który zwiększa ilość ciepła wydzielanego przez organizm. Jedząc produkty obfitujące w piekącą kapsaicynę, możemy łatwiej uniknąć nadprogramowych kilogramów. Cukinię możemy jest praktycznie bezkarnie, 100 g tego warzywa to jedynie 15 kcal. W cebuli występuje allicyna, która ma zdolność obniżania poziomu cholesterolu we krwi. Cebula działa korzystnie na układ krążenia, rozszerza naczynia krwionośne, zapobiega nadciśnieniu.

WARTO WIEDZIEĆ:
Rośliny strączkowe ze względu na zawartość białka są doskonałą alternatywą dla osób niejedzących mięsa, doskonale wypełniają przewód pokarmowy, dzięki czemu szybko można się nimi nasycić, zawierają również dużo błonnika, sporo żelaza i kwasu foliowego. Potrawy z roślin strączkowych są zdrowe, bo zapobiegają chorobom jelit, chorobom serca i naczyń krwionośnych, zmniejszają ryzyko wystąpienia nadciśnienia. Odpowiednio skomponowana potrawa z produktami zawierającymi białka roślinne, umożliwia dostarczenie organizmowi wszystkich niezbędnych aminokwasów. Oprócz fasoli warto też jeść soję i groch.

TRENING

- pięciominutowa rozgrzewka:

  wykonaj ćwiczenia (R03, R01, R04, R05, R06)
  każde po 1 minucie

  Resztę treningu ułożysz sama :)
  Ćwiczenia znajdujące się na końcu książki podzielone są
  na 4 grupy. Z każdej grupy wybierz swoje ulubione ćwiczenia.

- wykonaj 4 ćwiczenia

  (każdej z innej grupy) po 30 sekund, odpocznij 1 minutę, powtórz
  całość 5 razy

- wykonaj kolejne 4 ćwiczenia

  po 30 sekund, odpocznij 1 minutę, powtórz całość 5 razy

- pięciominutowy cooldown:

  po zakończeniu programu spaceruj przez 3 minuty, unormuj
  oddech (wdech nosem, wydech ustami); połóż się na plecach,
  przyciągnij kolana do klatki piersiowej i obejmij je ramionami;
  przejdź do pozycji siedzącej, jedną nogę wyciągnij do przodu,
  drugą nogę ugnij do tyłu, pochyl tułów maksymalnie do przodu
  nad wyciągniętą nogą, utrzymaj tę pozę 15 sekund i zmień
  pozycję nóg, oddychaj powoli

OPCJONALNIE:
Dzisiaj pora na Twoją ulubioną, dodatkową formę ruchu: basen,
tenis, jogging – co wolisz!

Po treningu masz 45 minut na uzupełnienie węglowodanów
i dostarczenie białka.

TWOJE NOTATKI

☐ **TRENING DNIA**
☐ **JADŁOSPIS DNIA**
☐ **PRZEPIS DNIA**

CO DLA SIEBIE DZISIAJ ZROBIŁAŚ?
JAK SIĘ CZUJESZ?

DZIEŃ 19
MOTYWACJA

Dbaj o swoją duszę!

- pozytywnie uzależnij się od aktywności
- ciesz się z prostych rzeczy
- pozwól sobie na chwile beztroski każdego dnia
- naucz się oświeconego egoizmu (dbaj o siebie, ale nie kosztem innych)
- życz szczęścia ludziom stojącym obok – to szczęście prędko do Ciebie wróci
- zbuduj w sobie poczucie samoakceptacji, nabierz pewności siebie
- naucz się kochać siebie, jesteś wyjątkowa!
- czerp z życia garściami, realizuj swoje marzenia
- nigdy się nie poddawaj

Już czas, żebyś wzięła sprawy w swoje ręce! Nikt inny nie zrobi tego za Ciebie.
Nic samo się nie wydarzy!

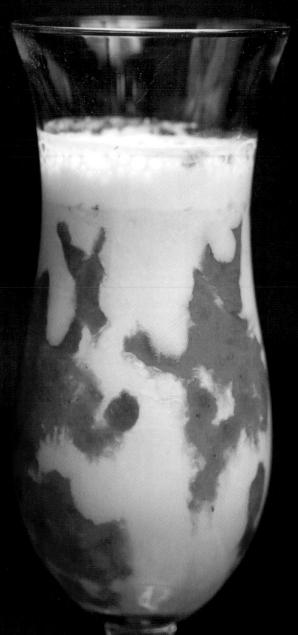

ŚNIADANIE
4 łyżki muesli z siekanymi orzechami włoskimi, siemieniem lnianym, małą kiścią winogron i szklanką jogurtu naturalnego

PRZEKĄSKA
koktajl bananowy

OBIAD
mintaj w kapuście à la gołąbki bez ryżu, ziemniaki pieczone posypane koperkiem, surówka z pomidora, sałaty, cebuli, natki pietruszki i jogurtu

PRZEKĄSKA

KOLACJA
miseczka sałatki z makaronu pełnoziarnistego, jajka, 4 łyżek zielonego groszku konserwowego, 2 łyżek kukurydzy z dodatkiem jogurtu naturalnego, posypana natką pietruszki lub koperkiem

Koktajl bananowy

SKŁADNIKI

1 banan (**120 g**)
150 ml jogurtu naturalnego
30 ml musu z malin

SPOSÓB WYKONANIA

Banana zmiksuj z jogurtem naturalnym. Na dno szklanki wlej mus z malin, a na mus – koktajl z miksera.

Jogurt to doskonały dodatek do owoców, płatków, sałatek i zup. A także dobra alternatywa dla osób nietolerujących mleka. Jogurt działa bakteriobójczo oraz wspomaga odporność komórek. To źródło wapnia, którego obecność w diecie sprzyja odchudzaniu. Naukowcy dowiedli, że jego spożycie dwukrotnie przyspiesza odchudzanie. Maliny dzięki dużej zawartości witaminy C mają działanie przeciwwirusowe, a dzięki substancjom aspiryno-podobnym działają napotnie i przeciwgorączkowo. Możemy jeść je nie tylko w sezonie, bo w postaci mrożonej też mogą być dobrym dodatkiem do potraw. Ze względu na obecność związków purynowych powinni ich jednak unikać chorzy na podagrę oraz zapalenie nerek. Maliny mogą wywoływać uczulenie. Banany chronią żołądek przed kwasami i wrzodami, poprzez rozrost komórek śluzówki żołądka, co wytwarza lepszą ochronę przed sokami trawiennymi.

WARTO WIEDZIEĆ:

W polskiej kuchni rzadko wykorzystujemy figi, które są niezwykle wartościowym produktem. Mają lekkie działanie przeczyszczające, przeciwwrzodowe, przeciwbakteryjne i odtruwające, a także są naturalnym źródłem przeciwutleniaczy. Ich zasadowe pH umożliwia zachowanie równowagi kwasowo-zasadowej, jeśli spożywamy duże ilości mięsa, które ze względu na obecność białka ma odczyn kwaśny. Figi to również doskonałe źródło energii ze względu na dużą ilość cukrów. Świeże figi zawierają witaminę C, witaminy z grupy B, witaminę PP oraz karoten. Są bogate w minerały takie jak potas, wapń, magnez, cynk i fosfor. Figi są najlepszym źródłem wapnia spośród wszystkich produktów roślinnych, bo 100 g tego owocu dostarcza tyle samo wapnia, co jedna szklanka mleka.

TRENING

- pięciominutowa rozgrzewka:
  wykonaj ćwiczenia (R05, R06, R07, R04, R03)
  każde po 1 minucie

- wykonaj 5 ćwiczeń
  (S19 prawa noga, S19 lewa noga, S24, K05, M17)
  po 30 sekund, odpocznij 1 minutę, powtórz całość 4 razy

- wykonaj 5 ćwiczeń
  (S20 prawa noga, S20 lewa noga, S21,
  K14 prawa strona, K14 lewa strona) po 30 sekund,
  odpocznij 1 minutę, powtórz całość 4 razy

- pięciominutowy cooldown:
  po zakończeniu programu spaceruj przez 3 minuty, unormuj
  oddech (wdech nosem, wydech ustami); połóż się na plecach,
  przyciągnij kolana do klatki piersiowej i obejmij je ramionami;
  przejdź do pozycji siedzącej, jedną nogę wyciągnij do przodu,
  drugą nogę ugnij do tyłu, pochyl tułów maksymalnie do przodu
  nad wyciągniętą nogą, utrzymaj tę pozę 15 sekund i zmień
  pozycję nóg, oddychaj powoli

OPCJONALNIE:
Ponadto o innej porze dnia niż wykonany trening wybierz się
na 20-minutowy spacer lub na rower.

Pij wodę w czasie treningu, ale nie za dużo, aby nie obciążać
żołądka.

TWOJE NOTATKI

☐ **TRENING DNIA**
☐ **JADŁOSPIS DNIA**
☐ **PRZEPIS DNIA**

CO DLA SIEBIE DZISIAJ ZROBIŁAŚ?
JAK SIĘ CZUJESZ?

DZIEŃ 20
MOTYWACJA

Cierpliwości! Aktywność wprowadzona w Twój tryb życia powinna z Tobą zostać juz na zawsze. To nie wyścig z czasem. Przede wszystkim walcz o dobre samopoczucie! Tryskaj potreningową pozytywną energią. Uśmiechaj się dzisiaj do wszystkich. **Twój świat jest kolorowy od endorfin!**

DZIEŃ 20

ŚNIADANIE
kanapka z łososiem i warzywami

PRZEKĄSKA

OBIAD
3 łyżki cieciorki w sosie szpinakowym z ryżem basmati, 200 g szpinaku mrożonego lub świeżego uduszone z czosnkiem, szklanka jogurtu naturalnego, 4 płaskie łyżeczki orzechów nerkowca, curry do smaku, pieprz, świeża kolendra (można ją zastąpić natką pietruszki)

PRZEKĄSKA

KOLACJA
2 kromki pełnoziarnistego pieczywa z pasta jajeczną (jajko, 1 płaska łyżeczka majonezu light), pomidor, do smaku pieprz, szczypiorek

Kanapka z łososiem i warzywami

SKŁADNIKI	**SPOSÓB WYKONANIA**
duża kromka ciemnego pieczywa lub razowa bułka masło lub śmietana 18% sałata lodowa koperek czerwona cebula **50 g** łososia wędzonego	Pieczywo posmaruj masłem lub odrobiną śmietany, dodaj sałatę i cebulę pokrojoną w krążki. Na warzywa połóż łososia, posyp koperkiem. Możesz doprawić wszystko odrobiną soku z cytryny, świeżo mieloną solą morską i pieprzem.

Pieczywo razowe to źródło witamin z gruby B, które niezbędne są do prawidłowego funkcjonowania układu nerwowego, a także wspomagają trawienie i korzystnie wpływają na stan oczu, skóry, włosów, wątroby. Obecność tych witamin poprawia nasz nastrój a także pomoga w walce ze stresem. Pieczywo razowe to też źródło cennego błonnika, którego obecność w diecie sprzyja zachowaniu płaskiego brzucha oraz umożliwia zaspokojenie głodu na dłuższy czas. Błonnik zwalnia tempo wchłaniania węglowodanów w przewodzie pokarmowym. Poza tym pieczywo zawiera białko, tiaminę, ryboflawiny, a nawet witaminę E, magnez, cynk, potas, żelazo i wapń. Łosoś to źródło niezbędnych w naszej diecie kwasów omega-3: w 100 g mięsa znajdziemy ich około1005 mg. Ta ryba to także pełnowartościowe białko – 100 g zawiera prawie 20 g białka. Koper ma właściwości silnie moczopędne, co czyni go dobrym składnikiem potraw przy oczyszczaniu nerek. Herbatka z kopru jest zalecana przy problemach z niestrawnością, przyspiesza trawienie, a także zapobiega wzdęciom.

WARTO WIEDZIEĆ:
Równowaga kwasowo-zasadowa to stan, kiedy jest zachowana równowaga między anionami i kationami w organizmie – procesy przemiany materii zachodzą wtedy prawidłowo. Niestety wiele produktów przemiany materii to kwasy i nawet na co dzień, bez ćwiczeń organizm ma tendencje do zakwaszania się. Bóle głowy, niechęć do ćwiczeń, szybkie męczenie, brak apetytu, problemy ze snem, nadmierna bolesność mięśni to najczęstsze objawy zakwaszenia organizmu. Powodują to na przykład mięso, kasze, płatki i makarony. Aby wyrównać gospodarkę anionowo-kationową, trzeba dodać do nich produkty alkalizujące, czyli takie, które zawierają duże ilości magnezu, wapnia, potasu, sodu. Są to głównie owoce i warzywa, ale też nabiał. Zatem na obiad jedzmy nie tylko mięso i ryż, ale także warzywa, jeśli płatki owsiane – to z jogurtem.

TRENING

- pięciominutowa rozgrzewka:
  wykonaj ćwiczenia (R05, R01, R07, R06, R02)
  po 30 sekund i powtórz serię

- wykonaj 2 ćwiczenia
  (**S07** prawa noga, **S07** lewa noga), każde po 20 sekund
  z 10-sekundowymi przerwami, powtórz całość 4 razy, odpocznij minutę

- wykonaj 2 ćwiczenia
  (**M04** prawa noga, **M04** lewa noga), każde po 20 sekund
  z 10-sekundowymi przerwami, powtórz całość 4 razy, odpocznij minutę

- wykonaj 2 ćwiczenia
  (**S12, K08**), każde po 20 sekund z 10-sekundowymi przerwami,
  powtórz całość 4 razy, odpocznij minutę

- wykonaj 2 ćwiczenia
  (**S09, K09**), każde po 20 sekund z 10-sekundowymi przerwami,
  powtórz całość 4 razy, odpocznij minutę

- pięciominutowy cooldown:
  po zakończeniu programu spaceruj przez 3 minuty, unormuj oddech
  (wdech nosem, wydech ustami); połóż się na plecach, przyciągnij
  kolana do klatki piersiowej i obejmij je ramionami; przejdź do pozycji
  siedzącej, jedną nogę wyciągnij do przodu, drugą nogę ugnij do tyłu,
  pochyl tułów maksymalnie do przodu nad wyciągniętą nogą, utrzymaj tę
  pozę 15 sekund i zmień pozycję nóg, oddychaj powoli

OPCJONALNIE:
Dodatkowo o innej porze dnia niż trening przez 20 minut wchodź i schodź
po schodach w wolnym tempie.

Jeśli bolą Cię mięśnie po poprzednim treningu, nie rezygnuj z ćwiczeń
następnego dnia – krążenie krwi uzdrowi Twoje mięśnie!

TWOJE NOTATKI

☐ **TRENING DNIA**
☐ **JADŁOSPIS DNIA**
☐ **PRZEPIS DNIA**

CO DLA SIEBIE DZISIAJ ZROBIŁAŚ?
JAK SIĘ CZUJESZ?

DZIEŃ 21
MOTYWACJA

Zaufaj sobie. Wybieraj to, co sprawi, że będziesz szczęśliwa.
Bycie dobrym oznacza przede wszystkim dobry stosunek
do samej siebie. Rób wszystko zgodnie ze swoją wolą!
Masz prawo wyboru.
Cokolwiek jest Twoją wymówką, cokolwiek powstrzymuje Cię
od zmiany, przestań w to wierzyć.
Zacznij działać, zamiast czekać, aż coś się wydarzy!

JADŁOSPIS
DZIEŃ 21

ŚNIADANIE
2 tosty z chleba pełnoziarnistego, dwa plastry sera twarogowego, 2 łyżki miodu, jabłko, jogurt do picia z mielonym siemieniem lnianym

PRZEKĄSKA

OBIAD
pieczona papryka z jajkiem, brokułem, ryżem i szpinakiem

PRZEKĄSKA

KOLACJA
zupa jarzynowa: marchewka, pół pietruszki, ćwiartka selera, ćwiartka pora, 100 g brokułów, 50 g fasolki szparagowej (może być z puszki lub mrożonki), mały ziemniak, łyżeczka oliwy, łyżka jogurtu naturalnego, sól, pieprz, liść laurowy, łyżka nasion słonecznika

Pieczona papryka z jajkiem, brokułem, ryżem i szpinakiem

SKŁADNIKI	SPOSÓB WYKONANIA
1 papryka (**250 g**) **1** jajko (**50 g**) mała róża brokułu (**100 g**) pół torebki ryżu (**50 g**) **4** garście szpinaku (**100 g**) łyżka oliwy (**10 g**) ząbek czosnku (**5 g**) gwiazdka anyżu kilka ziaren kuminu	Ugotuj ryż na sypko z anyżem i kuminem. Rozgrzej oliwę na patelni. Lekko podsmaż czosnek, dodaj liście szpinaku i brokuły. Gdy szpinak straci połowę objętości, dodaj ryż, jajko i wymieszaj wszystko na patelni. Smaż, mieszając do momentu, aż jajko lekko się zetnie. Powstałym farszem napełnij paprykę, zapiecz potrawę w piekarniku.

Brokuły zawierają wiele cennych substancji, które korzystnie wpływają na nasze zdrowie. Wśród nich znajdują się m.in. kwercetyna, beta-karoten, luteina, tiocyjanidy, sulfaren. Związki te wykazują działanie przeciwnowotworowe. Brokuły dostarczają również witaminy K, magnezu, chromu i pewnych ilości jodu oraz działają alkalizująco na nasz organizm. Ryż zawiera drobne cząsteczki skrobi – im są mniejsze, tym wolniej po ich spożyciu podnosi się poziom cukru we krwi. Właśnie dlatego ryż częściej jest polecany w dietach osób odchudzających się niż na przykład ziemniaki. Jaja to bardzo dobre źródło pełnowartościowego białka, witamin i składników mineralnych, jednak w żółtku znajduje się również cholesterol, więc nie należy jeść ich zbyt często. Szczególnie powinny na nie uważać osoby zagrożone chorobami układu krążenia, natomiast ci, którzy ćwiczą, mogą spożywać je trochę częściej.

WARTO WIEDZIEĆ:

Soja to bogactwo składników czynnych – fitoestrogenów, bardzo istotnych u kobiet wchodzących w okres menopauzalny. Fitoestrogeny zawarte w soi konkurują z estrogenami wydzielanymi przez organizm kobiety, dzięki czemu hamują ich naturalne działanie przyczyniające się do powstania np. cellulitu czy nieprzyjemnych objawów przekwitania. Soja dzięki zawartości lecytyny reguluje poziom cholesterolu, a tym samym usprawnia pracę mózgu. Jest także doskonałym źródłem białka o wysokiej wartości odżywczej dla osób niejedzących mięsa. Kiełki sojowe to doskonała alternatywa, jeśli nie lubisz samej soi. Warto dodawać je do sałatek, zup, kanapek. Warto wiedzieć, że aktywne estrogenowo są produkty takie jak: fasola sojowa, białko sojowe, mleko sojowe, ser tofu, kiełki. Natomiast sosy i oleje sojowe nie są pod tym względem aktywne.

TRENING

- pięciominutowa rozgrzewka:
  wykonaj ćwiczenia (**R03, R01, R04, R05, R06**)
  każde po 1 minucie

- wykonaj 3 ćwiczenia
  (**S06** prawa noga, **S06** lewa noga, **M18**), każde po 30 sekund,
  z 10-sekundowymi przerwami,
  powtórz całość 3 razy, odpocznij minutę

- wykonaj 3 ćwiczenia
  (**M03** lewa noga, **M03** prawa noga, **M22**), każde po 30 sekund,
  z 10-sekundowymi przerwami,
  powtórz całość 3 razy, odpocznij minutę

- wykonaj 3 ćwiczenia
  (**S10, K13** lewa strona, **K13** prawa strona), każde po 30 sekund,
  z 10-sekundowymi przerwami,
  powtórz całość 3 razy, odpocznij minutę

- wykonaj 3 ćwiczenia
  (**S16, S03** prawa noga, **S03** lewa noga), każde po 30 sekund,
  z 10-sekundowymi przerwami,
  powtórz całość 3 razy, odpocznij minutę

- pięciominutowy cooldown (jak w innych ćwiczeniach)

OPCJONALNIE:
Dzisiaj nie korzystaj z windy.

Kiedy czujesz zmęczenie, skup się na oddechu – uspokoisz się
i odzyskasz siły do dalszych ćwiczeń.

TWOJE NOTATKI

☐ **TRENING DNIA**
☐ **JADŁOSPIS DNIA**
☐ **PRZEPIS DNIA**

CO DLA SIEBIE DZISIAJ ZROBIŁAŚ?
JAK SIĘ CZUJESZ?

DZIEŃ 22
MOTYWACJA

„Podaj dalej": pomóż dzisiaj bezinteresownie potrzebującej osobie, następnie poproś, aby w ramach wdzięczności wyświadczyła przysługę komuś innemu, kto szuka wsparcia. Poczuj, jak ogromną satysfakcję przynoszą dobre uczynki. Wszystko, co z siebie dajemy, wraca do nas!
Bądź dobra dla siebie i innych.
W końcu dostajesz to, co sama dajesz – często z nadwyżką!

DZIEŃ 22

ŚNIADANIE

owsianka z płatkami migdałowymi, rodzynkami i kiwi na szklance mleka sojowego, łyżeczka płatków migdałowych, garść rodzynek, łyżeczka mielonego siemienia lnianego

PRZEKĄSKA

OBIAD

pierś kurczaka w ziołach

PRZEKĄSKA

KOLACJA

jajka zawijane w łososia: jajko, łosoś wędzony (50 g), pomidor, natka pietruszki, sok z cytryny, jogurt do polania potrawy, kromka pieczywa pełnoziarnistego z nasionami słonecznika

Pierś kurczaka w ziołach

SKŁADNIKI

160 g piersi z kurczaka
30 ml oliwy z oliwek
rozmaryn, tymianek
80 g ciemnego ryżu
sól, pieprz
miks sałat
ogórek
pomidor
cebula czerwona lub cukrowa

SPOSÓB WYKONANIA

Pierś zamarynuj w oliwie, rozmarynie i tymianku z solą i pieprzem, zostaw na 3 godziny w lodówce. Następnie piecz ją w temperaturze 170 stopni do zarumienienia (około 30–40 minut). Ryż ugotuj według przepisu na opakowaniu. Do tego podaj miks sałat z pomidorem, świeżym ogórkiem i pokrojoną w krążki cebulą.

Ryż ciemny ze względu na zawartość potasu działa odwadniająco. Niska zawartość sodu sprzyja zwiększaniu sprężystości włókien tkanki łącznej, wówczas skóra staje się sprężysta i jędrna, a co za tym idzie, zmniejsza się widoczność cellulitu. Kurczak to źródło cennego pełnowartościowego białka, zawiera mało tłuszczu. W 100 g piersi z kurczaka zawarte jest 14,2% białka i tylko 2% tłuszczu. Tymianek wykorzystywany jest jako środek wykrztuśny oraz pomocniczy w biegunkach. Napar z tymianku z dodatkiem miodu pomaga w trawieniu. Rozmaryn to zioło, które zawiera związki chroniące przed zwyrodnieniem plamki żółtej. Związki te chronią również przed rakiem i zawałem serca. Rozmaryn łagodzi wzdęcia oraz reguluje pracę jelit. Panie spodziewające się dziecka powinny jednak całkowicie zrezygnować z tej przyprawy.

WARTO WIEDZIEĆ:
Awokado, mimo że dość kaloryczne, zawiera dużo włókien, które przyczyniają się do szybszego spalania tłuszczu. Owoc ten to również bogactwo witamin z grupy B, m.in. kwasu foliowego, który chroni przed chorobami serca, oraz witamin C, K, E – dlatego też awokado hamuje procesy starzenia. Co istotne dla kobiet, dzięki zawartości biotyny, która wchodzi w reakcje z nienasyconymi kwasami tłuszczowymi, zapobiega cellulitowi i wygładza skórę. Awokado zawiera, podobnie jak oliwa z oliwek, jednonienasycone kwasy tłuszczowe, dzięki czemu obniża poziom cholesterolu.

TRENING

- pięciominutowa rozgrzewka:
  wykonaj ćwiczenia (**R05, R01, R07, R06, R02**)
  po 30 sekund i powtórz serię

- wykonaj 2 ćwiczenia
  (**S11, M24**), każde po 40 sekund z 20-sekundowymi przerwami
  oraz ćwiczenie **R02** przez minutę, zrób minutę przerwy, całość
  powtórz 3 razy

- wykonaj 2 ćwiczenia
  (**S14, M22**), każde po 40 sekund z 20-sekundowymi przerwami
  oraz ćwiczenie **R08** przez minutę, zrób minutę przerwy, całość
  powtórz 3 razy

- wykonaj 2 ćwiczenia
  (**M26, K07**), każde po 40 sekund z 20-sekundowymi przerwami
  oraz ćwiczenie **M16** przez minutę, zrób minutę przerwy, całość
  powtórz 3 razy

- pięciominutowy cooldown:
  po zakończeniu programu spaceruj przez 3 minuty, unormuj oddech
  (wdech nosem, wydech ustami); połóż się na plecach, przyciągnij
  kolana do klatki piersiowej i obejmij je ramionami; przejdź do pozycji
  siedzącej, jedną nogę wyciągnij do przodu, drugą nogę ugnij do tyłu,
  pochyl tułów maksymalnie do przodu nad wyciągniętą nogą, utrzymaj
  tę pozę 15 sekund i zmień pozycję nóg, oddychaj powoli

OPCJONALNIE:
W najbliższym centrum handlowym przejdź wszystkie piętra – po dwa
okrążenia każde.

Jeśli ominiesz trening, nie staraj się tego nadrobić dwoma treningami
w ciągu jednego dnia.

TWOJE NOTATKI

☐ **TRENING DNIA**
☐ **JADŁOSPIS DNIA**
☐ **PRZEPIS DNIA**

CO DLA SIEBIE DZISIAJ ZROBIŁAŚ?
JAK SIĘ CZUJESZ?

DZIEŃ 23
MOTYWACJA

Jeśli utknęłaś w miejscu z kimś, kto sprawia, że gaśniesz, **zmień to natychmiast!** Nie marnuj czasu!
Uwierz w siebie, obudź w sobie zdrowy egoizm, nabierz pozytywnej siły. Odnajdź piękno w samej sobie.
Jesteś ważna i absolutnie wyjątkowa!
Zadbaj więc o to, żeby osoba, która trzyma Cię za rękę, często Ci to powtarzała!

JADŁOSPIS
DZIEŃ 23

ŚNIADANIE

omlet z dwóch jaj i dwóch białek z warzywami: pomidor, 4 łyżeczki groszku, 4 pieczarki, plaster sera feta; sok pomarańczowy

PRZEKĄSKA

OBIAD

gulasz rybny z dorsza z cebulą, marchewką lub selerem i ziołami, podawać z porcją kuskusu z garstką rodzynek

PRZEKĄSKA

KOLACJA

sałata norweska z łososiem

Sałata norweska z łososiem

SKŁADNIKI

miks sałat
100 g pieczonego łososia
ćwiartka czerwonej cebuli
4 pomidorki koktajlowe
4 kawałki świeżego ogórka
4 kawałki papryki
prażone pestki dyni i słonecznika
sos winegret
serek Bieluch
kapary
czerwona cebula

SPOSÓB WYKONANIA

Piecz łososia w temperaturze 170 stopni tak długo, aż się zarumieni (przez około 30 minut). Jedno opakowanie serka Bieluch wymieszaj z dziesięcioma kaparami i posiekaną czerwoną cebulą.
Dodaj koperek, sól i pieprz do smaku.
Na miks sałat, pokrojoną w krążki cebulę, pomidorki cherry, ogórka i paprykę połóż łososia. Posyp wszystko pestkami słonecznika i dyni, polej sosem winegret według tradycyjnej receptury i dodaj serek kaparowy.

Surowe warzywa można jeść do woli. Dzięki dużej zawartości witamin i błonnika przyspieszają przemianę materii i spalanie tłuszczu. Im więcej surowizny, tym lepiej. Kapary mają korzystny wpływ na organizm człowieka przez obniżanie ciśnienia krwi, niwelowanie wzdęć i dobrze wpływają na pracę układu pokarmowego. Owoce zawierają witaminę C, białko, błonnik, węglowodany i sole mineralne. Ryby powinniśmy spożywać przynajmniej dwa razy w tygodniu. Łosoś to przede wszystkim wartościowe kwasy tłuszczowe omega-3, które są bardzo dobre dla układu krwionośnego. Regularne spożywanie łososia ma też dobry wpływ na nasz wygląd: wpływa pozytywnie na paznokcie, włosy, stan skóry.

WARTO WIEDZIEĆ:
Migdały to doskonałe źródło magnezu, którego obecność w diecie jest niezwykle istotna dla przyswajania wapnia. A odpowiednie połączenie tych pierwiastków to zmniejszenie ryzyka osteoporozy. Migdały to również bogate źródło witaminy B2 i cynku, a także źródło kwasów omega-6, dzięki którym obniża się ryzyko zachorowania na choroby serca i układu krążenia. Garstka migdałów to także doskonała przekąska po obiedzie, gdy dopada nas ochota na coś słodkiego.

TRENING

- pięciominutowa rozgrzewka:
  wykonaj ćwiczenia (R05, R06, R07, R04, R03)
  każde po 1 minucie

- wykonaj 10 ćwiczeń
  (**S04, S06** lewa noga, **S06** prawa noga, **M13,
  M02** lewa noga, **M02** prawa noga, **K11** lewa noga,
  K11 prawa noga, **K01, K02**), każde po 30 sekund.
  Masz dwie przerwy po 30 sekund.
  Sama zdecyduj, kiedy z nich skorzystać. Po zakończeniu
  10 ćwiczeń zrób 1 minutę przerwy; całość powtórz 4 razy

- pięciominutowy cooldown:
  po zakończeniu programu spaceruj przez 3 minuty, unormuj
  oddech (wdech nosem, wydech ustami); połóż się na plecach,
  przyciągnij kolana do klatki piersiowej i obejmij je ramionami;
  przejdź do pozycji siedzącej, jedną nogę wyciągnij do przodu,
  drugą nogę ugnij do tyłu, pochyl tułów maksymalnie do przodu
  nad wyciągniętą nogą, utrzymaj tę pozę 15 sekund i zmień
  pozycję nóg, oddychaj powoli

OPCJONALNIE:
Zamiast samochodem, pokonaj dzisiaj odległość
do pracy/sklepu/koleżanki pieszo lub rowerem.

Upewnij się, że zapisujesz ilość powtórzeń ćwiczeń,
które wykonujesz w określonym czasie.

TWOJE NOTATKI

☐ **TRENING DNIA**
☐ **JADŁOSPIS DNIA**
☐ **PRZEPIS DNIA**

CO DLA SIEBIE DZISIAJ ZROBIŁAŚ?
JAK SIĘ CZUJESZ?

DZIEŃ 24
MOTYWACJA

Żyj w zgodzie z samą sobą. Odnajdź równowagę pomiędzy codziennymi obowiązkami a tym, co pragniesz stworzyć, co dałoby Ci spełnienie. Każda z nas ma ukryte pasje – czas znajdzie się na wszystko, jeśli tylko są chęci!
Spójrz w stronę jutra ze spokojem ducha i przekonaniem, że osiągniesz sukces.
Jeśli tylko wiesz, czego chcesz, **nie ma rzeczy niemożliwych!**

ŚNIADANIE

2 kromki pumpernikla z twardym żółtym serem i sałatką z papryki, ogórka, kilka listków sałaty polanej kubkiem jogurtu naturalnego, posypane pestkami słonecznika i kiełkami sojowymi, naturalnie wyciskany sok marchwiowo-jabłkowy

PRZEKĄSKA

OBIAD

spaghetti aglio e oglio

PRZEKĄSKA

KOLACJA

ryba po grecku: włoszczyzna, 80 g dorsza, oliwa, cebula, łyżka koncentratu pomidorowego

Spaghetti aglio e olio

SKŁADNIKI

130 g makaronu
3 ząbki czosnku
1 papryczka chili
natka pietruszki
2 łyżki oliwy do smażenia
sól i pieprz do smaku

SPOSÓB WYKONANIA

Makaron gotuj w osolonej wodzie o 3 minuty krócej niż w przepisie na opakowaniu. Papryczkę pokrój w paseczki (pamiętaj, aby pozbyć się nasion). Posiekaj pietruszkę. Rozgrzej oliwę na patelni i lekko podsmaż na niej posiekany czosnek. Dodaj pokrojoną papryczkę i makaron, lekko posól i popieprz. Smaż około 3 minuty, intensywnie mieszając. Na koniec smażenia dodaj natkę pietruszki.

Makaron nie jest tuczący, ale tylko jeśli pochodzi z pełnego ziarna – wtedy działa wręcz odchudzająco. Makaron to źródło błonnika, białka i witamin. Dania na bazie makronów są sycące, lekkostrawne i niskokaloryczne. Chilli przyspiesza przemianę materii, a tym samym hamuje odkładanie się tłuszczu, działa więc odchudzająco. Jedna papryczka dodana do potraw umożliwia przyspieszenie spalenia kalorii prawie o 25% oraz działa antybakteryjnie.

WARTO WIEDZIEĆ:

Wołowina zawiera pełnowartościowe białko, którego ilość w 100 g produktu wynosi nawet 15,6%. Ma więcej tłuszczu niż mięso drobiowe, ale nadal jest to jedynie 7%, więc nie ma powodu do obaw. Białko w niej zawarte przyspiesza działanie metabolizmu, umożliwia wzrost komórek mięśniowych, a także zawiera L-karnitynę przyspieszającą spalanie tłuszczu.

TRENING

- pięciominutowa rozgrzewka:

  wykonaj ćwiczenia (R03, R01, R04, R05, R06)
  każde po 1 minucie

  Resztę treningu ułożysz sama :)
  Ćwiczenia znajdujące się na końcu książki podzielone są
  na 4 grupy. Z każdej grupy wybierz swoje ulubione ćwiczenia.

- wykonaj 4 ćwiczenia

  (każdej z innej grupy) po 30 sekund, odpocznij 1 minutę, powtórz
  całość 5 razy

- wykonaj kolejne 4 ćwiczenia

  po 30 sekund, odpocznij 1 minutę, powtórz całość 5 razy

- pięciominutowy cooldown:

  po zakończeniu programu spaceruj przez 3 minuty, unormuj
  oddech (wdech nosem, wydech ustami); połóż się na plecach,
  przyciągnij kolana do klatki piersiowej i obejmij je ramionami;
  przejdź do pozycji siedzącej, jedną nogę wyciągnij do przodu,
  drugą nogę ugnij do tyłu, pochyl tułów maksymalnie do przodu
  nad wyciągniętą nogą, utrzymaj tę pozę 15 sekund i zmień
  pozycję nóg, oddychaj powoli

OPCJONALNIE:
Dzisiaj pora na Twoją ulubioną, dodatkową formę ruchu: basen,
tenis, jogging – co wolisz!

Jogging to najlepsza rozgrzewka i zakończenie
ćwiczeń – wykorzystaj to, jeśli masz taką możliwość.

TWOJE NOTATKI

☐ **TRENING DNIA**
☐ **JADŁOSPIS DNIA**
☐ **PRZEPIS DNIA**

CO DLA SIEBIE DZISIAJ ZROBIŁAŚ?
JAK SIĘ CZUJESZ?

DZIEŃ 25
MOTYWACJA

Niech dzisiejszy dzień będzie Dniem poszukiwania pasji!
Przez aktywność fizyczną jesteśmy w stanie zrewolucjonizować
całe nasze życie! Eksplozja endorfin, hormonów szczęścia,
umożliwia diametralnie inne spojrzenie na codzienność.
To szansa na przełom, na odnalezienie tego, co Cię cieszy,
czemu chciałabyś się poświęcić, Twojej życiowej drogi!
Bądź szczęśliwa i życz szczęścia innym!

JADŁOSPIS
DZIEŃ 25

ŚNIADANIE

4 łyżki kaszy manny na mleku z suszoną żurawiną, rodzynkami, orzechami łuskanymi, dwiema łyżeczkami miodu, pokrojonym jabłkiem

PRZEKĄSKA

OBIAD

filet z łososia z sosem żurawinowo-cytrynowym i gotowanymi warzywami

PRZEKĄSKA

KOLACJA

sałatka z dwoma plastrami pieczonego kurczaka bez skóry, pomidorem, porcją brokułów, porcją fasolki zielonej ciętej i oliwą

Filet z łososia z sosem żurawinowo-cytrynowym i gotowanymi warzywami

SKŁADNIKI

filet z łososia (**100 g**)
sok z cytryny (**50 ml**)
garść świeżej żurawiny (**40 g**)
łyżeczka fruktozy (**6 g**)
sól, pieprz, przyprawa do ryby
szklanka bulionu (**220 ml**)
1 marchewka (**100 g**)
50 g pora
40 g selera naciowego

SPOSÓB WYKONANIA

Naczynie żaroodporne wysmaruj oliwą, łososia skrop sokiem z cytryny, posyp solą i pieprzem cytrynowym, upiecz. W małym rondelku podgrzewaj żurawinę z niewielką ilością wody i łyżką fruktozy, aż zyska ona konsystencję przypominającą marmoladę. Warzywa pokrój w cienkie paseczki i ugotuj w bulionie.

Łosoś jest bardzo wartościową i smaczną rybą. Zawiera dużo cennych składników: białko, żelazo, jod, selen, a także kreatynę i argininę. Białko występujące w łososiu zawiera wszystkie niezbędne aminokwasy, także argininę stymulującą działanie układu odpornościowego. Sportowcy powinni spożywać produkty bogate w argininę, gdyż zwiększają one poziom syntezy tlenku azotu, który reguluje napięcie naczyń krwionośnych, hamuje agregację białych i czerwonych krwinek oraz zwiększa wydolność organizmu. Jod jest składnikiem hormonów najsilniej oddziałujących na organizm człowieka. Niedobór jodu wiąże się ze spowolnieniem metabolizmu, co sprzyja powstawaniu nadwagi i otyłości. Łosoś słynie także z zawartości kwasów tłuszczowych z rodziny omega-3. Kwasy te zmniejszają ryzyko chorób układu krążenia i stymulują odporność organizmu. Żurawina zapobiega zakażeniom bakteryjnym układu moczowo-płciowego. W tym przepisie dodajemy do niej fruktozę – jest ona słodsza od cukru, więc można dodać jej mniej niż zwykłej sacharozy. Ponadto fruktoza jest przetwarzana w organizmie człowieka w taki sposób, że mimo swojej słodyczy ma niski indeks glikemiczny.

WARTO WIEDZIEĆ:

Warzywa surowe czy gotowane? Faktem jest, że surowe warzywa działają antyrakowo, a przeciwutleniacze takie jak witamina C czy luteina są lepiej przyswajalne podczas jedzenia ich w takiej postaci. Jednak termiczna obróbka warzyw wydobywa z nich korzystne dla zdrowia antyutleniacze, karotenoidy, polifenole i witaminy oraz może zwiększyć ich przyswajalność. Przykładem jest likopen, który jest lepiej wchłanialny z pomidorów gotowanych, czy też beta-karoten pochodzący z marchwi. Bakłażany duszone działają pobudzająco na wątrobę, a w lekko podgotowanych brokułach czy szpinaku zwiększa się dostępność karotenu. Przyrządzanie warzyw powinno być jednak uzależnione przede wszystkim od własnych upodobań. Spożywajmy więc bez obaw warzywa gotowane (uważajmy jednak na wyższy niż w przypadku surowych indeks glikemiczny!), grillowane lub przyrządzane na parze.

TRENING

- pięciominutowa rozgrzewka:

  wykonaj ćwiczenia (**R05, R06, R07, R04, R03**) każde po 1 minucie

- wykonaj 5 ćwiczeń

  (**S22** prawa noga, **S22** lewa noga, **S23, K03, M24**) po 30 sekund, odpocznij 1 minutę, powtórz całość 4 razy

- wykonaj 5 ćwiczeń

  (**S06** prawa noga, **S06** lewa noga, **S10, K06, M22**) po 30 sekund, odpocznij 1 minutę, powtórz całość 4 razy

- pięciominutowy cooldown:

  po zakończeniu programu spaceruj przez 3 minuty, unormuj oddech (wdech nosem, wydech ustami); połóż się na plecach, przyciągnij kolana do klatki piersiowej i obejmij je ramionami; przejdź do pozycji siedzącej, jedną nogę wyciągnij do przodu, drugą nogę ugnij do tyłu, pochyl tułów maksymalnie do przodu nad wyciągniętą nogą, utrzymaj tę pozę 15 sekund i zmień pozycję nóg, oddychaj powoli

OPCJONALNIE:
Ponadto o innej porze dnia niż wykonany trening wybierz się na 20-minutowy spacer lub na rower.

Ta książka pozwala na samodzielny trening, ale możesz też zaprosić kogoś do wspólnych ćwiczeń, co pomoże Ci kontrolować ich wykonanie i osiągać lepsze rezultaty.

TWOJE NOTATKI

☐ **TRENING DNIA**
☐ **JADŁOSPIS DNIA**
☐ **PRZEPIS DNIA**

CO DLA SIEBIE DZISIAJ ZROBIŁAŚ?
JAK SIĘ CZUJESZ?

DZIEŃ 26
MOTYWACJA

Pomagaj! Inspiruj!
Na nikogo nie patrz z góry!
Podziel się tym, co dla Ciebie proste i oczywiste.
Dziel się tym, co masz najlepsze!

Dostałaś wyjątkowy dar, **życie.**
Masz do niego pełne prawo.
Nie marnuj danej Ci szansy, ciesz się nią!
Nie bój się odważnych decyzji. To jest Twój moment!
Uwolnij się od wszystkiego co jest dla Ciebie niedobre
i rozpal w sobie zdrowy egoizm – **pokochaj samą siebie!**

To uczucie pozwoli Ci pokochać innych!

JADŁOSPIS
DZIEŃ 26

ŚNIADANIE
muesli z mlekiem i otrębami: płatki owsiane, rodzynki, otręby pszenne,
3 mandarynki, kiwi, szklanka mleka ryżowego

PRZEKĄSKA

OBIAD
indyk duszony z morelami i świeżymi ziołami

PRZEKĄSKA

KOLACJA
pieczona pierś z indyka (50 g) z sałatką à la grecką: pomidor, czerwona cebula,
pół ogórka, ćwiartka czerwonej papryki, oliwki, 25 g sera feta light,
oliwa z oliwek łyżeczka, do smaku czosnek, pieprz, tymianek, sok z cytryny, bazylia

Indyk duszony z morelami i świeżymi ziołami

SKŁADNIKI

filet z piersi indyka (**150 g**)
10 świeżych moreli (**450 g**)
5 suszonych moreli (**50 g**)
łyżka oliwy (**10 g**)
tymianek do smaku
kolendra do smaku
gwiazdka anyżu

SPOSÓB WYKONANIA

Indyka pokrój w drobne kawałki, rozbij lekko tłuczkiem, posyp solą
i pieprzem, podsmaż na oliwie. Suszone morele pokrój w drobna
kostkę i namocz we wrzątku, natomiast świeże morele obierz, z połowy
zrób przecier, a drugą połowę pokrój w kostkę. Indyka duś
w przecierze z obu rodzajów moreli z gwiazdką anyżu. Potrawę
wyłóż na talerz, posyp świeżymi liśćmi tymianku i kolendry

Mięso z indyka cechuje się szczególnie niską zawartością tłuszczu. Bardzo często jest polecane osobom zmagającym się z alergiami. Morele działają na organizm człowieka alkalizująco, zawierają beta-karoten i są dobrym źródłem błonnika. Produkty zawierające błonnik sprawiają, że jemy mniejsze porcje. Beta-karoten chroni nasze płuca przed zanieczyszczeniami dostającymi się przez układ oddechowy do organizmu. Oliwa to cenne źródło kwasów tłuszczowych jednonienasyconych chroniących układ sercowo-naczyniowy, a więc zmniejszających ryzyko udaru mózgu i zawału. Zioła to cenne źródło bioflawonoidów, które wykazują działanie przeciwnowotworowe.

WARTO WIEDZIEĆ:
Czekolada to produkt składający się głównie z miazgi kakaowej i cukru. Ciężko jest jej uniknąć w naszym menu, dlatego – jak zawsze – trzeba zachować zdrowy umiar i rozsądek w jej spożywaniu. Mówimy „tak" dwóm kostkom np. do owsianki na śniadanie, ale już zjedzenie połowy tabliczki to zbędne kalorie, które niestety odłożą się nam w biodrach. Czekolada to też produkt pogłębiający i zaostrzający symptomy zgagi, a także migrenowych bólów głowy. Mimo to czekolada to też plusy. Zawarte w niej substancje chemiczne (kofeina, teobromina, tryptofan i inne) pobudzają neuroprzekaźniki. Kakao, główny składnik czekolady, to bogactwo magnezu, żelaza, cynku i potasu, a zawarte w ciemnej czekoladzie miedź i związki polifenolowe wpływają korzystnie na układ sercowo-naczyniowy. Dodanie czekolady do mleka przeciwdziała nietolerancji laktozy. Warto jednak wybierać czekoladę gorzką o najwyższej zawartości kakao (minimum 70%) i mimo że jest najbardziej kaloryczna, jest też najbogatsza w polifenole i składniki mineralne. Czekolada mleczna zawiera więcej wapnia, ale ma też wyższą zawartość cukru!

TRENING

- pięciominutowa rozgrzewka:
  wykonaj ćwiczenia (**R05, R01, R07, R06, R02**)
  po 30 sekund i powtórz serię

- wykonaj 2 ćwiczenia
  (**S01** prawa noga, **S01** lewa noga), każde po 20 sekund
  z 10-sekundowymi przerwami, powtórz całość 4 razy, odpocznij minutę

- wykonaj 2 ćwiczenia
  (**M05** prawa noga, **M05** lewa noga), każde po 20 sekund
  z 10-sekundowymi przerwami, powtórz całość 4 razy, odpocznij minutę

- wykonaj 2 ćwiczenia
  (**M27, S13**), każde po 20 sekund z 10-sekundowymi przerwami,
  powtórz całość 4 razy, odpocznij minutę

- wykonaj 2 ćwiczenia
  (**K15** lewa strona, **K15** prawa strona), każde po 20 sekund
  z 10-sekundowymi przerwami, powtórz całość 4 razy, odpocznij minutę

- pięciominutowy cooldown:
  po zakończeniu programu spaceruj przez 3 minuty, unormuj oddech
  (wdech nosem, wydech ustami); połóż się na plecach, przyciągnij
  kolana do klatki piersiowej i obejmij je ramionami; przejdź do pozycji
  siedzącej, jedną nogę wyciągnij do przodu, drugą nogę ugnij do tyłu,
  pochyl tułów maksymalnie do przodu nad wyciągniętą nogą, utrzymaj
  tę pozę 15 sekund i zmień pozycję nóg, oddychaj powoli

OPCJONALNIE:
Dodatkowo o innej porze dnia niż trening przez 20 minut wchodź
i schodź po schodach w wolnym tempie.

Ćwicz w odpowiednich butach i stroju – buty są szczególnie ważne
przy podskokach, ponieważ chronią Twoje stawy.

TWOJE NOTATKI

☐ **TRENING DNIA**
☐ **JADŁOSPIS DNIA**
☐ **PRZEPIS DNIA**

CO DLA SIEBIE DZISIAJ ZROBIŁAŚ?
JAK SIĘ CZUJESZ?

DZIEŃ 27
MOTYWACJA

Dzisiejszy dzień to kolejny krok na drodze do osiągnięcia wyznaczonego celu. Niech wypełnia Cię duma i zadowolenie z samej siebie!
Bez względu na to, w jakim punkcie teraz się znajdujesz, uśmiechnij się do siebie!
Jeszcze zanim wspięłaś się na szczyt swoich marzeń!

JADŁOSPIS
DZIEŃ 27

ŚNIADANIE

2 kromki pieczywa graham z wędzoną makrelą, ogórek kiszony, do smaku natka pietruszki, pieprz, szklanka kefiru, 2 płaskie łyżeczki pestek dyni, garść kiełków rzodkiewki, do smaku koperek, pieprz, owoc

PRZEKĄSKA
koktajl pietruszkowy

OBIAD

łosoś w sosie szpinakowym z dzikim ryżem: 200 g rozdrobnionego szpinaku, jogurt naturalny, 4 płaskie łyżeczki orzechów nerkowca, do smaku curry, pieprz, świeża kolendra (można ją zastąpić natką pietruszki)

PRZEKĄSKA

KOLACJA

sałatka z tuńczykiem z wody, fasolką zieloną z puszki, pomidorem, sałatą mix i grzankami z kromki chleba razowego, polane oliwą z oliwek

Koktajl pietruszkowy

SKŁADNIKI

1 owoc kiwi
30 ml soku z limonki
65 g natki pietruszki
2 plastry świeżego ananasa
30 ml musu z porzeczek

SPOSÓB WYKONANIA

Wszystkie składniki zmiksuj z 4 kostkami lodu i 100 ml wody mineralnej. Na samym końcu wlej mus ze świeżych porzeczek.

Natka pietruszki bardzo często jest pomijana jako dodatek do potraw – niesłusznie, ponieważ zapobiega niedoborom żelaza w organizmie. Listki pietruszki to skarbnica witamin i minerałów: oprócz żelaza także potasu, wapnia, magnezu, kwasu foliowego, niacyny, beta-karotenu i witaminy E. Garść natki dodawana do zup, sałatek, sosów pokrywa nawet 30% dziennego zapotrzebowania na witaminę C. Mieszanka soku z cytryny z posiekaną natką pietruszki to prawdziwa bomba witaminowa.

WARTO WIEDZIEĆ:
Ananas świeży dzięki zawartości błonnika to owoc niezwykle ceniony podczas licznych diet odchudzających. Dzięki enzymowi, bromelainie wspomaga procesy trawienne i tłumi infekcje. Bromelaina jest w stanie rozłożyć tysiąckrotnie więcej protein niż sama waży! Dlatego dobrze zjeść po posiłku plaster ananasa. Ananas pomaga rozpuszczać zakrzepy i ma korzystne działanie w gojeniu złamań, gdyż zawiera dużo manganu. Kiwi i czarna porzeczka to owoce niezwykle bogate w witaminę C. Witamina C działa jako przeciwutleniacz, jest niezbędna w regeneracji tkanek, a także wspomaga przyswajanie żelaza. Jedno kiwi zawiera około 74 mg witaminy C, a w 100 g porzeczek mamy jej około 180 mg. Kiwi dzięki swoim ziarenkom działa jako pewnego rodzaju piling dla jelit, przez co wspomaga walkę z zaparciami. Natomiast czarne porzeczki dzięki zawartości pektyn i biopierwiastków, w tym jodu i boru, decydują o ich właściwościach dietetyczno-leczniczych.

TRENING

- pięciominutowa rozgrzewka:
  wykonaj ćwiczenia (**R03, R01, R04, R05, R06**)
  każde po 1 minucie

- wykonaj 3 ćwiczenia
  (**S02** lewa noga, **S02** prawa noga, **K07**),
  każde po 30 sekund, z 10-sekundowymi przerwami, powtórz
  całość 3 razy, odpocznij minutę

- wykonaj 3 ćwiczenia
  (**S09, K05, M25**), każde po 30 sekund,
  z 10-sekundowymi przerwami, powtórz całość 3 razy,
  odpocznij minutę

- wykonaj 3 ćwiczenia
  (**K04, M20** lewa noga, **M20** prawa noga),
  każde po 30 sekund, z 10-sekundowymi przerwami,
  powtórz całość 3 razy, odpocznij minutę

- wykonaj 3 ćwiczenia
  (**S13, M30** prawa noga, **M30** lewa noga),
  każde po 30 sekund, z 10-sekundowymi przerwami,
  powtórz całość 3 razy, odpocznij minutę

- pięciominutowy cooldown (jak w innych ćwiczeniach)

OPCJONALNIE:
Dzisiaj nie korzystaj z windy.

Sen zapewnia najlepszy odpoczynek po treningu
– wyśpij się dobrze, a Twoje ciało wróci do formy.

TWOJE NOTATKI

☐ **TRENING DNIA**
☐ **JADŁOSPIS DNIA**
☐ **PRZEPIS DNIA**

CO DLA SIEBIE DZISIAJ ZROBIŁAŚ?
JAK SIĘ CZUJESZ?

DZIEŃ 28
MOTYWACJA

Jesteś piękna! Koniec z porównaniami!
Nie podążaj za wyimaginowanym ideałem. **Idź własną drogą.**
Bądź najlepszą wersją samej siebie!
Każde marzenie jest nam dane wraz z siłą do jego realizacji.
Nie wolno Ci się poddawać!

JADŁOSPIS
DZIEŃ 28

ŚNIADANIE
2 jajka na miękko, 4 rzodkiewki i 2 kromki żytniego chleba pełnoziarnistego, szklanka kakao z mlekiem

PRZEKĄSKA

OBIAD
halibut ze szpinakiem i gnocchi

PRZEKĄSKA

KOLACJA
sałatka z selera naciowego, pomidora, plastra sera białego, szczypiorku, sosu winegret, podawać z grzanką

Halibut ze szpinakiem i gnocchi

SKŁADNIKI

filet z halibuta (**150 g**)
świeży szpinak (**120 g**)
gnocchi (**100 g**)

SPOSÓB WYKONANIA

Filet halibuta (bez ości, bez skóry) grillujemy, doprawiając solą i pieprzem, lub pieczemy w piecu w 220 stopniach C około 4-5 min. Szpinak podsmażamy na maśle, doprawiając solą i pieprzem. Gnocchi gotujemy w osolonej wodzie. Następnie na patelni rozpuszczamy 10 g masła, podsmażamy gnocchi na maśle posypując odrobiną kurkumy (około 2 g). Rybę podajemy z cytryną.

Halibut jest największą rybą z rodziny flądrowatych. Żyje na dnie mórz północnych, osiągając długość dochodzącą do 2 metrów. Jego mięso jest bardzo zdrowe: białe, delikatne, bogate w białko, witaminy A, E, D i fosfor. Zawiera dużo tłuszczu, ale w jego przypadku to zaleta – to bogate źródło kwasów omega-3 wspomagających rozwój i pracę układu nerwowego, chroniących przed miażdżycą, obniżających ciśnienie i pobudzających system odpornościowy.

WARTO WIEDZIEĆ:
Większość selenu w naszej diecie pochodzi z ziaren, przetworów zbożowych, ryb, owoców morza, mięsa, ale najwięcej zawierają go orzechy brazylijskie. Dowiedziono, że zjadanie jednego orzecha brazylijskiego dziennie zabezpiecza nas przed niedoborem selenu. Większe ilości selenu mogą być toksyczne dla organizmu. Naturalną pigułką selenową dostarczającą nam 100 µg tego pierwiastka są: 1 orzech brazylijski, 125 g tuńczyka z puszki, 125 g nasion słonecznika, 225 g suchych otrąb owsianych. Niedobór selenu przyczynia się do pogorszenia naszego nastroju oraz zwiększenia uczucia zmęczenia.

TRENING

- pięciominutowa rozgrzewka:
  wykonaj ćwiczenia (**R05, R01, R07, R06, R02**)
  po 30 sekund i powtórz serię
- wykonaj 2 ćwiczenia
  (**S13, M33**), każde po 40 sekund z 20-sekundowymi
  przerwami oraz ćwiczenie **R05** przez minutę, zrób minutę przerwy,
  całość powtórz 3 razy
- wykonaj 2 ćwiczenia
  (**S14, K10**), każde po 40 sekund z 20-sekundowymi
  przerwami oraz ćwiczenie **R03** przez minutę, zrób minutę przerwy,
  całość powtórz 3 razy
- wykonaj 2 ćwiczenia
  (**M18, K06**), każde po 40 sekund z 20-sekundowymi
  przerwami oraz ćwiczenie **M14** przez minutę, zrób minutę przerwy,
  całość powtórz 3 razy
- pięciominutowy cooldown:
  po zakończeniu programu spaceruj przez 3 minuty, unormuj oddech
  (wdech nosem, wydech ustami); połóż się na plecach, przyciągnij
  kolana do klatki piersiowej i obejmij je ramionami; przejdź do pozycji
  siedzącej, jedną nogę wyciągnij do przodu, drugą nogę ugnij do tyłu,
  pochyl tułów maksymalnie do przodu nad wyciągniętą nogą, utrzymaj
  tę pozę 15 sekund i zmień pozycję nóg, oddychaj powoli

OPCJONALNIE:
W najbliższym centrum handlowym przejdź wszystkie
piętra – po dwa okrążenia każde.

Optymalna temperatura w pomieszczeniu do ćwiczeń
to 15 – 20 stopni. Wyższa temperatura powoduje nadmierną
potliwość i odwodnienie, niższa - powoduje ryzyko kontuzji mięśni.

TWOJE NOTATKI

☐ **TRENING DNIA**
☐ **JADŁOSPIS DNIA**
☐ **PRZEPIS DNIA**

CO DLA SIEBIE DZISIAJ ZROBIŁAŚ?
JAK SIĘ CZUJESZ?

DZIEŃ 29
MOTYWACJA

Nie rezygnuj ze swoich marzeń bez względu na okoliczności!
Nawet jeśli zdaje się, że z jakiejś sytuacji nie ma wyjścia,
jeśli coś, co jeszcze wczoraj było całym Twoim światem, dziś
przestało istnieć, nawet jeśli jest Ci tak źle, że nie masz siły wstać.
Nic nie dzieje się bez powodu! Każda porażka, zawodowa
czy osobista, jest początkiem nowej drogi do sukcesu. Zostaw
przeszłość za plecami. Patrz ze spokojem w przyszłość.
Tu i teraz jest najważniejsze! Wszystko się ułoży dokładnie tak,
jak sobie tego życzysz, zatem **życz sobie tego, co najlepsze!**

JADŁOSPIS
DZIEŃ 29

ŚNIADANIE
3 łyżki ryżu basmati na mleku, z jabłkiem, do smaku cynamon

PRZEKĄSKA

OBIAD
sałatka specjał z kurczakiem

PRZEKĄSKA

KOLACJA
sałatka: wędzony łosoś, siemię lniane, ogórek, 5 łyżek kukurydzy konserwowej, ćwiartka małej kapusty pekińskiej, jogurt naturalny, łyżeczka musztardy, kromka żytniego chleba razowego

Sałatka specjał z kurczakiem

SKŁADNIKI

miks sałat
pierś z kurczaka (**100 g**)
suszone pomidory w oleju (**3** kawałki)
gruszka (**3** plastry)
jabłko (**3** plastry)
prażone pestki dyni i słonecznika i migdała,
    może być również sezam

sos musztardowo miodowy:
musztarda (**1** łyżka)
miód (pół łyżki)
oliwa z oliwek (**1** łyżka)
sok z cytryny (**1** łyżka)

SPOSÓB WYKONANIA

Kurczaka pieczemy w piekarniku w temperaturze 170 stopni do momentu zarumienienia (około 30 minut). W tym czasie przygotowujemy miks sałat, układamy plasterki jabłka i gruszki. Gorącą lub zimną pierś kroimy w plastry, układamy na sałacie, polewamy sosem i posypujemy pestkami dyni i słonecznika.

Przepis na sos:
Musztardę wymieszać z miodem i oliwą, dodać sok z cytryny. Składniki muszą być idealnie ze sobą połączone. Można rozcieńczyć sok odrobiną wody. Doprawić solą oraz pieprzem. Opcjonalnie można dodać ząbek czosnku.

Pomidory to koktajl witamin i minerałów, ale bezcenne dla zdrowia substancje znajdziemy też w ich przetworach, np. w pomidorach suszonych, które stanowią doskonały dodatek do sałatek, mięs, sosów. Pomidory są źródłem likopenu, który jest obecny także w jego przetworach. Dieta bogata w likopen zapobiega zawałom serca i rozwojowi miażdżycy. Codziennie powinniśmy zjeść jeden pomidor lub talerz zupy pomidorowej. W ten sam sposób podziałają również dwie łyżki keczupu albo szklanka soku. Pomidory w większości składają się z wody, nie są więc bardzo kaloryczne. Dodatkowo zawierają błonnik, który na długi czas zapewnia uczucie sytości. Zawarty w nich moczopędny potas znacznie ułatwia pozbywanie się nadmiaru wody z organizmu. Gruszka jest owocem szczególnie cennym podczas odchudzania. Świeży owoc średniej wielkości to około 60 kcal i bogate źródło potasu, fosforu, wapnia, magnezu, sodu, miedzi, żelaza, boru oraz jodu. Gruszka to także doskonałe źródło kwasów owocowych – jabłkowego i cytrynowego – oraz węglowodanów, pektyny, błonnika i olejków eterycznych. Bor w nich zawarty pobudza szare komórki oraz poprawia koncentrację. Gruszki wspomagają trawienie i zapobiegają zaparciom. Pestki dyni zawierają cenne witaminy z grupy B (B1, B2, B6), dzięki czemu wspierają naturalne mechanizmy obronne komórek. Spożywanie pestek bardzo dobrze wpływa na wzmocnienie naczyń krwionośnych dzięki zawartości witaminy E. Pestki słonecznika, podobnie jak pestki dyni, zawierają tę wartościową witaminę oraz witaminy z grupy B. Poza tym są bogate w magnez, który pomaga nam radzić sobie ze stresem. Pestki słonecznika są też źródłem błonnika, dzięki czemu po ich zjedzeniu dłużej czujemy sytość.

WARTO WIEDZIEĆ:
Kawa przez zawartość kofeiny oddziałuje na nasz układ nerwowy, zwiększa się refleks i koncentracja, wzrasta poziom adrenaliny. Jednak nadmiar kofeiny może powodować niepokój, drżenie ciała, bóle głowy, bezsenność. Należy pamiętać, aby nie pić jej na czczo, podrażnia ona bowiem błony śluzowe przewodu pokarmowego, co sprzyja chorobie wrzodowej. Łagodzi ją dodanie mleka. Kawa nie jest wskazana osobom z anemią, ponieważ zmniejsza również przyswajanie żelaza. Ponadto wypłukuje wapń i magnez z kości. Pamiętajmy, że mimo wielu wad, kawa to też zalety: pomaga redukować nadwagę, likwidować kamienie żółciowe, leczyć cukrzycę, zmniejsza ryzyko wystąpienia choroby Parkinsona i Alzheimera. Nie wpływa również znacznie na nadciśnienie. Jeśli pije się ją regularnie, w podobnych ilościach, organizm przystosowuje się do jej działania.

TRENING

- pięciominutowa rozgrzewka:
  wykonaj ćwiczenia (**R05, R06, R07, R04, R03**)
  każde po 1 minucie

- wykonaj 10 ćwiczeń
  (**S25, S23, S16, K09, K14** lewa strona,
  K14 prawa strona, **M20** lewa noga, **M20** prawa noga,
  M19, M21), każde po 30 sekund. Masz dwie przerwy
  po 30 sekund. Sama zdecyduj, kiedy z nich skorzystać.
  Po zakończeniu 10 ćwiczeń zrób 1 minutę przerwy;
  całość powtórz 4 razy

- pięciominutowy cooldown:
  po zakończeniu programu spaceruj przez 3 minuty, unormuj
  oddech (wdech nosem, wydech ustami); połóż się na plecach,
  przyciągnij kolana do klatki piersiowej i obejmij je ramionami;
  przejdź do pozycji siedzącej, jedną nogę wyciągnij do przodu,
  drugą nogę ugnij do tyłu, pochyl tułów maksymalnie do przodu
  nad wyciągniętą nogą, utrzymaj tę pozę 15 sekund i zmień
  pozycję nóg, oddychaj powoli

OPCJONALNIE:
Zamiast samochodem, pokonaj dzisiaj odległość
do pracy/sklepu/koleżanki pieszo lub rowerem.

Trzymaj się wyznaczonego czasu, nie rób dłuższych przerw,
niż zaleca program.

TWOJE NOTATKI

☐ **TRENING DNIA**
☐ **JADŁOSPIS DNIA**
☐ **PRZEPIS DNIA**

CO DLA SIEBIE DZISIAJ ZROBIŁAŚ?
JAK SIĘ CZUJESZ?

DZIEŃ 30
MOTYWACJA

Choć nigdy osobiście Cię nie poznałam, zależy mi na Tobie.
Nic i nikt tego nie zmieni.
Dziękuję Ci za każdą chwilę, kiedy robisz coś dla siebie!

Jesteś szczęśliwa, dajesz szczęście innym.
Jesteś silna, wspierasz i motywujesz!
Jesteś pewna siebie! Twój cel został osiągnięty!

Nowa Ty.
Rozwijaj skrzydła!

ŚNIADANIE
muesli z jogurtem naturalnym, rodzynkami, orzechami i brzoskwinią

PRZEKĄSKA

OBIAD
miseczka zupy jarzynowej z fasolką szparagową i małym ziemniakiem, pierś z kurczaka z rusztu z kaszą jęczmienną, sałatką z cykorii, mandarynki, kukurydzy i oliwy

PRZEKĄSKA

KOLACJA
krem z pomidorów

Krem z pomidorów

SKŁADNIKI

pomidory (**3 kg**)
koncentrat pomidorowy (**200 g**) lub pomidory
pelati (**1 kg**)
włoszczyzna
cebula (**200 g**)
czosnek (**3 ząbki**)
jogurt (**1 l**)

rosół drobiowy (1,5 l):
1 kg piersi kurczaka, jedna włoszczyzna, jedna cebula,
5 szt liści laurowych, **8** szt ziaren ziela angielskiego,
1 pęczek natki pietruszki – zalać wodą w garnku około **3 l**,
gotować na wolnym ogniu do momentu uzyskania **1,5 l**
wywaru. Przecedzić przez gęste sito.

olej (**30 ml**)
sól, pieprz

SPOSÓB WYKONANIA

Pomidory sparzyć, obrać ze skóry. Pokroić w kostkę, podsmażyć. Podsmażyć także obraną i pokrojoną w kawałki włoszczyznę, cebulę, czosnek. Dolać bulion drobiowy i razem gotować. Gdy warzywa będą już miękkie, dodać koncentrat lub pelati. Gotować. Po rozgotowaniu warzyw zmiksować zupę, dodać jogurt. Doprawić solą, pieprzem, zagotować. Jeśli konsystencja kremu jest zbyt rzadka, można ugotować ziemniaki i dodać do kremu, razem zmiksować.

Ze względu na ogromne ilości likopenu zawartego w pomidorach warzywo to powinno pojawiać się w naszym codziennym żywieniu jak najczęściej. Likopen to silny przeciwutleniacz chroniący nasze komórki przed szkodliwym działaniem wolnych rodników. Tym samym chroni nasz organizm przed nowotworami, chorobami serca, obniża cholesterol. Źródło likopenu to także soki pomidorowe, przeciery, ketchup (uwaga na zawarty w nim cukier!), sosy itp. Pomidory i jego przetwory to też źródło potasu, który jest niezbędny do prawidłowego funkcjonowania układu nerwowego, a także utrzymania prawidłowego ciśnienia krwi. Jeśli cierpimy na skurcze, warto uzupełnić naszą dietę o ten składnik mineralny. Pomidory to niskokaloryczne warzywo, które jest bardzo cenione w wielu dietach ze względu na pomoc w usuwaniu nadmiaru płynów nagromadzonych w organizmie.

WARTO WIEDZIEĆ:
Nawet niewielki niedobór cynku i boru może upośledzić naszą sprawność umysłową. Zarówno bor, jak i cynk pobudzają czynność bioelektryczną mózgu. Możemy dostarczyć organizmowi wystarczające ilości cynku i boru w pożywieniu. Bor możemy znaleźć w orzechach, warzywach strączkowych, liściastych (np. brokuły), owocach (np. jabłka, gruszki, winogrona). Niezbędną dawkę boru, czyli ok. 3 mg, możemy dostarczyć sobie w dwóch jabłkach (1 mg) i 10 g orzechów (2 mg). Natomiast cynk możemy znaleźć w rybach morskich, ostrygach, warzywach strączkowych, zbożach, mięsie indyka. Porcja ostryg (30 g) dostarcza 20 mg cynku.

TRENING

- pięciominutowa rozgrzewka:

  wykonaj ćwiczenia (R03, R01, R04, R05, R06)
  każde po 1 minucie

  Resztę treningu ułożysz sama :)
  Ćwiczenia znajdujące się na końcu książki podzielone są
  na 4 grupy. Z każdej grupy wybierz swoje ulubione ćwiczenia.

- wykonaj 4 ćwiczenia

  (każde z innej grupy) po 30 sekund, odpocznij 1 minutę, powtórz
  całość 5 razy

- wykonaj kolejne 4 ćwiczenia

  po 30 sekund, odpocznij 1 minutę, powtórz całość 5 razy

- pięciominutowy cooldown:

  po zakończeniu programu spaceruj przez 3 minuty, unormuj
  oddech (wdech nosem, wydech ustami); połóż się na plecach,
  przyciągnij kolana do klatki piersiowej i obejmij je ramionami;
  przejdź do pozycji siedzącej, jedną nogę wyciągnij do przodu,
  drugą nogę ugnij do tyłu, pochyl tułów maksymalnie do przodu
  nad wyciągniętą nogą, utrzymaj tę pozę 15 sekund i zmień
  pozycję nóg, oddychaj powoli

OPCJONALNIE:
Dzisiaj pora na Twoją ulubioną, dodatkową formę ruchu: basen,
tenis, jogging – co wolisz!

Ćwicz z pulsometrem, jeśli go posiadasz – to dobra metoda
pomiaru intensywności treningu.

TWOJE NOTATKI

☐ **TRENING DNIA**
☐ **JADŁOSPIS DNIA**
☐ **PRZEPIS DNIA**

CO DLA SIEBIE DZISIAJ ZROBIŁAŚ?
JAK SIĘ CZUJESZ?

Zmierz się i zapisz wyniki pomiarów:

talia (w najwęższym miejscu)..........................cm

brzuch (na wysokości pępka)..........................cm

biodra (w najszerszym miejscu).....................cm

GRATULUJĘ CI SUKCESU!

JESTEM
z CIEBIE
DUMNA

PRZEKĄSKI

pieczone jabłko ze szklanką jogurtu naturalnego, do smaku: wanilia, cynamon

kanapki z wędzonym łososiem: 2 kromki chleba pełnoziarnistego, dwa plastry łososia wędzonego, 2 łyżki serka homogenizowanego naturalnego, około pół ogórka, 1 płaska łyżeczka orzechów nerkowca, do smaku: pieprz, koperek

ser camembert (light, 40 g) z winogronami (jasnymi, 150 g)

twarożek z owocami: 5 łyżek chudego sera twarogowego, owoce sezonowe (np. jabłko), cynamon do smaku

koktajl malinowy: szklanka maślanki 0,5%, maliny lub inne owoce (mogą być mrożone, 150 g)

sałatka z marchewki i selera: 1 marchewka, pół selera, jabłko, 1 płaska łyżeczka oliwy z oliwek, 2 płaskie łyżeczki miodu, 2 łyżeczki płatków owsianych, do smaku sok z cytryny

koktajl z kiwi i muesli: kefir szklanka, 3 łyżki muesli bez cukru, 2 owoce kiwi

batonik muesli, jabłko

koktajl: szklanka maślanki 0,5%, połowa mango

sałatka jarzynowa light: włoszczyzna z mrożonki (200 g), 5 łyżek kukurydzy, jabłko, jajko, płaska łyżeczka oliwy z oliwek, do smaku: pieprz, sok z cytryny

sałatka z rukolą i tuńczykiem: parę listków rukoli, 5 pomidorków koktajlowych, pół żółtej papryki, łyżeczka oliwy z oliwek, 20 g tuńczyka, pieprz, kromka pieczywa

koktajl ananasowy: 200 ml kefiru, połowa świeżego ananasa

sałatka miks kubański: 50 g sałaty miks, 100 g fasolki zielonej z puszki, mały pomidor, 30 g sera feta, płaska łyżeczka oliwy z oliwek, kromka chleba pełnoziarnistego, do smaku: sok z cytryny, koperek, pieprz

sałatka owocowa z chili: pół ananasa, mandarynka, śliwka, pół banana, łyżeczka soku z cytryny, łyżeczka miodu, 2 łyżki jogurtu naturalnego, 2 łyżki otrębów owsianych, 1/4 łyżeczki chili

jogurt straciatella z kiwi: 2 owoce kiwi, 150 g jogurtu naturalnego 2%, 10 g gorzkiej czekolady (zetrzeć na tarce)

koktajl bananowy: szklanka jogurtu naturalnego 2%, banan

wafle ryżowe z serkiem i dżemem: 2 wafle ryżowe, 2 łyżeczki niskosłodzonego dżemu truskawkowego, 3 łyżki serka naturalnego do smarowania

lekka sałatka: miks sałat dostępny w większości sklepów (50 g), 5 łyżeczek zielonego groszku, 5 łyżek kukurydzy, 50 g tuńczyka, płaska łyżeczka oliwy z oliwek, do smaku: sok z cytryny, pieprz, koperek, natka pietruszki

koktajl pomarańczowy z nutką imbiru: szklanka jogurtu naturalnego, pomarańcza, imbir do smaku

kanapka z polędwicą z kurczaka: 2 kromki razowego pełnoziarnistego chleba, 2 plasterki polędwicy z piersi kurczaka, ćwiartka czerwonej papryki, szczypiorek

kanapki z pastą z twarożku i awokado skropione sokiem z cytryny

serek ziarnisty 150 g z brzoskwinią

sałatka z marchewki, jabłka i pora: marchewka, jabłko, pół pora, garść pestek słonecznika, łyżeczka oliwy z oliwek, 2 płaskie łyżeczki miodu, do smaku sok z cytryny

kolorowe kanapki z serem i pomidorem: ser twarogowy, kilka listków sałaty, pomidor, dwie kromki chleba graham

koktajl bananowo-truskawkowy: 100 g mrożonych truskawek, 200 ml mleka 1,5%, połówka banana

grejpfrut, ciasteczka owsiane (25 g)

sałatka owocowa z jogurtem i migdałami – po 100 g: kiwi, banana, gruszki i jogurtu, 10 g płatków migdałowych

koktajl czekoladowy: 200 ml mleka, łyżeczka kakao, pół banana, łyżeczka płatków migdałowych, łyżeczka miodu, łyżeczka ziaren słonecznika

ĆWICZENIA

ROZGRZEWKA

ĆWICZENIA NA MACIE

ĆWICZENIA W POZYCJI STOJĄCEJ

ĆWICZENIA NA KORPUS

DYNAMICZNE PRZESKOKI

Pozycja wyjściowa: w staniu wykrocznym przeciwna ręka do nogi zakrocznej (tylnej) wysunięta

Ruch: dynamicznym przeskokiem zamieniamy nogi do pozycji lustrzanego odbicia wraz z ruchem rąk

Uwagi: przez cały czas trzymamy mocno spięty brzuch i ćwiczymy na lekko ugiętych nogach, żeby nie obciążać stawów kolanowych i kręgosłupa

Mięśnie zaangażowane: uda, pośladki, grzbiet, brzuch, a poprzez pracę rąk, również mięśnie naramienne

Oddech: podczas ruchu spinającego mięśnie wydychaj głośno powietrze przez otwarte usta

SKIP A

Pozycja wyjściowa: stajemy ze złączonymi stopami

Ruch: wykonujemy szybki bieg z kolanami unoszonymi wysoko (skip A)

Uwagi: ćwiczenie wykonujemy na lekko ugiętych nogach, praca rąk jak w marszu (ręka przeciwna do nogi)

Mięśnie zaangażowane: brzuch, mięsień biodrowo-lędźwiowy, łydki, w mniejszym stopniu uda i pośladki

Oddech: podczas ruchu spinającego mięśnie wydychaj głośno powietrze przez otwarte usta

ROZGRZEWKA

PRZESKOKI DO BOKU OBUNÓŻ

Pozycja wyjściowa: stajemy ze złączonymi stopami

Ruch: wykonujemy szybkie przeskoki na dwóch nogach na odległość około pół metra i z powrotem

Uwagi: ćwiczenie należy wykonywać na ugiętych nogach i ze złączonymi stopami; podczas ćwiczenia trzymamy mięśnie brzucha mocno napięte

Mięśnie zaangażowane: uda, pośladki, łydki, brzuch

Oddech: podczas ruchu spinającego mięśnie wydychaj głośno powietrze przez otwarte usta

PAJACE ZE WZNOSEM RĄK

Pozycja wyjściowa: w staniu złączone stopy, ręce lekko uniesione

Ruch: wykonujemy „pajace" z jednoczesnym uniesieniem rąk ugiętych pod kątem prostym do linii barków, następnie wracamy do pozycji wyjściowej

Uwagi: „pajace" wykonujemy na lekko ugiętych nogach; należy unikać zginania kolan do środka i kontrolować ruch rąk, żeby nie obciążać nadmiernie stawów barkowych

Mięśnie zaangażowane: uda, pośladki, łydki, brzuch i, przez pracę rąk, mięsień naramienny (część boczna i przednia)

Oddech: podczas ruchu spinającego mięśnie wydychaj głośno powietrze przez otwarte usta

ROZGRZEWKA

PAJACE Z UGINANIEM PRZEDRAMION

Pozycja wyjściowa: w staniu stopy złączone, ręce opuszczone i wyprostowane

Ruch: wykonujemy „pajace" z jednoczesnym uginaniem przedramion powyżej kąta prostego w łokciach, następnie wracamy do pozycji wyjściowej

Uwagi: „pajace" wykonujemy na lekko ugiętych nogach, należy unikać zginania kolan do środka

Mięśnie zaangażowane: uda, pośladki, łydki, brzuch i, przez pracę rąk, biceps

Oddech: podczas ruchu spinającego mięśnie wydychaj głośno powietrze przez otwarte usta

PODSKOKI ZE SKRĘTEM

Pozycja wyjściowa: w staniu stopy złączone, ręce uniesione do linii barków

Ruch: wykonujemy szybkie podskoki z naprzemiennymi skrętami bioder

Uwagi: ćwiczenie wykonujemy na ugiętych nogach, a górną część tułowia trzymamy cały czas w jednej pozycji

Mięśnie zaangażowane: brzuch (przede wszystkim mięśnie skośne), uda, pośladki, łydki, przez pozycję rąk izometryczne (statyczne) spięcie mięśnia naramiennego (części przedniej i bocznej)

Oddech: podczas ruchu spinającego mięśnie wydychaj głośno powietrze przez otwarte usta

R06

PRZESKOKI NOŻYCOWE

Pozycja wyjściowa: w staniu na jednej nodze wykonujemy wspięcie na palce, a drugą nogę wysuwamy delikatnie do przodu

Ruch: wykonujemy dynamiczny przeskok na drugą nogę tak, by uzyskać lustrzane odbicie pozycji wyjściowej; następnie wracamy do pozycji wyjściowej

Uwagi: przeskoki wykonujemy na lekko ugiętych nogach, ręce pracują jak do marszu (przeciwna ręka do nogi)

Mięśnie zaangażowane: uda, pośladki, łydki, brzuch, mięsień biodrowo-lędźwiowy

Oddech: podczas ruchu spinającego mięśnie wydychaj głośno powietrze przez otwarte usta

PRZESKOKI OBUNÓŻ W PRZÓD I TYŁ

Pozycja wyjściowa: w staniu stopy ułożone na szerokość bioder

Ruch: wykonujemy przeskok obunóż w przód do pozycji delikatnego squatu (przysiadu) z jednoczesnym ruchem rąk w przód

Uwagi: przeskoki wykonujemy na lekko ugiętych nogach, należy unikać wypuszczania kolan poza linię palców stóp, szczególnie przy lądowaniu z przodu

Mięśnie zaangażowane: uda, pośladki, łydki, brzuch

Oddech: podczas ruchu spinającego mięśnie wydychaj głośno powietrze przez otwarte usta

ĆWICZENIA NA MACIE

WZNOSY BIODER W LEŻENIU NA PLECACH Z NOGAMI UGIĘTYMI

Pozycja wyjściowa: leżenie na plecach z nogami ugiętymi pod kątem prostym; stopy ustawione na szerokość bioder przylegają do podłogi całą podeszwą, biodra lekko uniesione nad podłogą, górna część pleców i głowa przylegają do podłogi, biodra lekko podkręcone w stronę brzucha (ściągnięte przeponą)

Ruch: unosimy biodra do momentu, aż utworzą jedną linię z tułowiem i udami, następnie wracamy do pozycji wyjściowej

Uwagi: biodra podczas całego ćwiczenia pozostają w powietrzu, należy unikać wypychania ich powyżej linii tułowia i ud; maksymalnie koncentrujemy się na spięciu pośladków i mięśnia dwugłowego uda (mięsień tylny uda); wydech robimy podczas ruchu w górę

Mięśnie zaangażowane: mięsień dwugłowy uda, pośladki, dolny odcinek grzbietu, w mniejszym stopniu mięsień czworogłowy uda i brzuch

Oddech: podczas ruchu spinającego mięśnie wydychaj głośno powietrze przez otwarte usta

WZNOSY BIODER W LEŻENIU NA PLECACH Z JEDNĄ NOGĄ W GÓRZE

Pozycja wyjściowa: leżenie na plecach z jedną nogą uniesioną; noga podpierająca ugięta pod kątem prostym, stopa nogi podpierającej ustawiona w linii z tułowiem przylega do podłogi całą podeszwą, biodra lekko uniesione nad podłogą, górna część pleców i głowa przylegają do podłogi, biodra lekko podkręcone w stronę brzucha (ściągnięte przeponą)

Ruch: unosimy biodra do momentu, aż utworzą jedną linię z tułowiem i udami, uniesiona noga pozostaje cały czas w górze, następnie wracamy do pozycji wyjściowej; ćwiczenie powtarzamy na drugą stronę

Uwagi: biodra podczas całego ćwiczenia pozostają w powietrzu, należy unikać wypychania ich powyżej linii tułowia i ud; maksymalnie koncentrujemy się na spięciu pośladków i mięśnia dwugłowego uda (mięsień tylny uda) nogi podpierającej; wydech robimy podczas ruchu w górę

Mięśnie zaangażowane: mięsień dwugłowy uda, pośladki, dolny odcinek grzbietu, w mniejszym stopniu mięsień czworogłowy uda i brzuch

Oddech: podczas ruchu spinającego mięśnie wydychaj głośno powietrze przez otwarte usta

M02

M03

WZNOSY NOGI W LEŻENIU NA PLECACH Z BIODRAMI UNIESIONYMI

Pozycja wyjściowa: leżenie na plecach; uniesione biodra tworzą jedną linię z tułowiem i udem nogi podpierającej, druga noga uniesiona, wyprostowana w kolanie, stanowi przedłużenie tułowia, głowa i górny odcinek pleców przylegają do podłogi

Ruch: uniesioną wyprostowaną nogą pracujemy na linii góra–dół, utrzymując biodra cały czas w powietrzu, w górnej fazie unosimy nogę do momentu utworzenia kąta prostego z tułowiem, a w dolnej – do osiągnięcia pozycji wyjściowej; ćwiczenie powtarzamy na drugą stronę

Uwagi: biodra podczas całego ćwiczenia pozostają w powietrzu, należy unikać ruchu biodrami, a w szczególności wypychania ich ponad linię tułowia; bardzo ważne jest ograniczenie ruchu nogi wyprostowanej w dolnej fazie do wysokości uda nogi podpierającej

Mięśnie zaangażowane: mięsień dwugłowy uda, czworogłowy uda, pośladki, dolny odcinek grzbietu, brzuch (przede wszystkim dolna część), mięsień biodrowo-lędźwiowy

Oddech: podczas ruchu spinającego mięśnie wydychaj głośno powietrze przez otwarte usta

ODWODZENIE NOGI W KLĘKU PODPARTYM

Pozycja startowa: klęk podparty; dłonie na szerokość barków, ułożone bezpośrednio pod nimi, kolana ułożone pod biodrami (kąty proste w kolanach i biodrach), tułów ułożony w jednej linii, a łokcie lekko ugięte (nie blokujemy ich), głowa stanowi przedłużenie tułowia (nie zwieszamy jej ani nie zadzieramy)

Ruch: nie zmieniając ustawienia barków i (w miarę możliwości) bioder, odwodzimy nogę ugiętą pod kątem prostym w kolanie do boku, ruch prowadzi kolano do momentu zrównania z linią biodra, następnie wracamy do pozycji wyjściowej; ruch powtarzamy na drugą stronę

Uwagi: tułów podczas całego ćwiczenia powinien znajdować się w jednej linii; należy unikać odchylania tułowia w bok, a co za tym idzie – zbyt dużego przenoszenia ciężaru na stronę przeciwną do ćwiczonej

Mięśnie zaangażowane: pośladek (mięsień pośladkowy średni), bok uda, w mniejszym stopniu brzuch i dolny odcinek grzbietu

Oddech: podczas ruchu spinającego mięśnie wydychaj głośno powietrze przez otwarte usta

M04

M05

PRZENOSZENIE NOGI W KLĘKU PODPARTYM

Pozycja wyjściowa: klęk podparty na jednej nodze; dłonie na szerokość barków, ułożone bezpośrednio pod nimi, kolano nogi podpierającej ułożone pod biodrem (kąt prosty w kolanie i biodrach), druga noga wyprostowana, uniesiona lekko nad podłogą w kierunku tył–skos, tułów ułożony w jednej linii, a łokcie lekko ugięte (nie blokujemy ich), głowa stanowi przedłużenie tułowia (nie zwieszamy jej ani nie zadzieramy), brzuch mocno napięty

Ruch: przenosimy nogę z pozycji wyjściowej na drugą stronę aż do skrzyżowania się jej z udem nogi podpierającej, w środkowej fazie ruchu osiągamy linię tułowia, następnie wracamy do pozycji wyjściowej tą samą drogą; ćwiczenie powtarzamy na drugą stronę

Uwagi: tułów podczas całego ćwiczenia powinien znajdować się w jednej linii (unikamy pogłębiana lordozy w odcinku lędźwiowym kręgosłupa, wyginania kręgosłupa w łuk); należy unikać odchylania tułowia w bok, a co za tym idzie, zbyt dużego przenoszenia ciężaru na jedną stronę; pilnujemy, żeby barki nie schodziły poniżej linii bioder podczas przenoszenia nogi

Mięśnie zaangażowane: pośladki, mięsień dwugłowy uda, mięśnie przywodzicieli uda, w mniejszym stopniu brzuch i dolny odcinek grzbietu

Oddech: podczas ruchu spinającego mięśnie wydychaj głośno powietrze przez otwarte usta

WZNOSY NOGI W KLĘKU PODPARTYM NA PRZEDRAMIONACH

Pozycja startowa: klęk podparty na przedramionach na jednej nodze, łokcie ułożone na szerokość barków bezpośrednio pod nimi, kolano nogi podpierającej ułożone pod biodrem (kąt prosty w kolanie i biodrach), druga noga wyprostowana, uniesiona lekko nad podłogą, tułów ułożony w jednej linii, głowa stanowi przedłużenie tułowia (nie zwieszamy jej ani nie zadzieramy), brzuch mocno napięty

Ruch: unosimy wyprostowaną nogę w górę, aż do momentu wyrównania jej pozycji z tułowiem, następnie wracamy do pozycji wyjściowej, ćwiczenie powtarzamy na drugą stronę

Uwagi: tułów podczas całego ćwiczenia powinien być w jednej linii (unikamy pogłębiana lordozy w odcinku lędźwiowym kręgosłupa, wyginania kręgosłupa w łuk), należy unikać zbyt dynamicznego ruchu nogą, powinien on być kontrolowany przez napinane mięśnie, wykonywany w spokojnym tempie

Mięśnie zaangażowane: pośladki, mięsień dwugłowy uda, w mniejszym stopniu dolny odcinek grzbietu

Oddech: podczas ruchu spinającego mięśnie wydychaj głośno powietrze przez otwarte usta

M06

M07

UGIĘCIA NOGI W KLĘKU PODPARTYM NA PRZEDRAMIONACH

Pozycja startowa: klęk podparty na przedramionach, na jednej nodze, łokcie na szerokość barków, ułożone bezpośrednio pod nimi, kolano nogi podpierającej ułożone pod biodrem (kąt prosty w kolanie i biodrach), druga noga wyprostowana, uniesiona tak, by tworzyła jedną linię z tułowiem, tułów także ułożony w jednej linii, głowa stanowi przedłużenie tułowia (nie zwieszamy jej ani nie zadzieramy), brzuch mocno napięty

Ruch: nie zmieniając położenia uda nogi ćwiczącej, uginamy ją w stawie kolanowym maksymalnie do kąta prostego, następnie wracamy do pozycji wyjściowej; ćwiczenie powtarzamy na drugą stronę

Uwagi: tułów podczas całego ćwiczenia powinien być w jednej linii (unikamy pogłębiana lordozy w odcinku lędźwiowym kręgosłupa czy wyginania kręgosłupa w łuk), należy unikać zbyt dynamicznego ruchu nogą, powinien on być kontrolowany przez napinane mięśnie, wykonywany w spokojnym tempie

Mięśnie zaangażowane: pośladki, mięsień dwugłowy uda, w mniejszym stopniu dolny odcinek grzbietu

Oddech: podczas ruchu spinającego mięśnie wydychaj głośno powietrze przez otwarte usta

WYPROSTY PRZECIWNEJ RĘKI DO NOGI W KLĘKU PODPARTYM

Pozycja startowa: klęk podparty na jednej nodze i przeciwnej do niej ręce; dłoń ręki podpierającej ustawiona bezpośrednio pod barkiem, a kolano nogi podpierającej ułożone pod biodrem (kąt prosty w kolanie i biodrach), druga noga i przeciwna do niej ręka wyprostowane, uniesione tak, by tworzyły jedną linię z tułowiem, nie blokujemy łokci (pozostają lekko ugięte), głowa stanowi przedłużenie tułowia (nie zwieszamy jej, ani nie zadzieramy), brzuch mocno napięty

Ruch: nie zmieniając położenia bioder i barków względem podłogi, ściągamy jednocześnie łokieć i kolano tak, by znalazły się pod tułowiem, następnie wracamy do pozycji wyjściowej; ćwiczenie powtarzamy na drugą stronę

Uwagi: tułów podczas całego ćwiczenia powinien znajdować się w jednej linii (unikamy pogłębiana lordozy w odcinku lędźwiowym kręgosłupa lub wyginania kręgosłupa w łuk), należy unikać zbyt dynamicznego ruchu, powinien on być kontrolowany przez napinane mięśnie, wykonywany w spokojnym tempie

Mięśnie zaangażowane: pośladki, mięsień dwugłowy uda, brzuch, grzbiet, klatka piersiowa, triceps, mięsień naramienny (część boczna i przednia)

Oddech: podczas ruchu spinającego mięśnie wydychaj głośno powietrze przez otwarte usta

M08

CWICZENIA NA MACIE

M09

WZNOSY NOGI W PODPORZE TYŁEM

Pozycja wyjściowa: podpór tyłem na wyprostowanych nogach; tułów tworzy jedną linię z nogami i biodrami, stopy złączone, oparte piętami na podłodze, dłonie ułożone na szerokość barków bezpośrednio pod nimi, nie blokujemy łokci (pozostają lekko ugięte), głowa stanowi przedłużenie tułowia (nie zwieszamy jej ani nie zadzieramy), mocno napięty brzuch i dolny odcinek pleców (lędźwiowy)

Ruch: unosimy wyprostowaną nogę na wysokość bioder, następnie wracamy do pozycji wyjściowej, ćwiczenie powtarzamy na drugą stronę

Uwagi: tułów z biodrami i nogą podpierającą przez cały czas tworzy jedną linię, należy unikać ruchu barkami w przód i w tył (wychodzenia poza linię dłoni) i wypychania bioder powyżej linii tułowia

Mięśnie zaangażowane: pośladki, mięsień dwugłowy uda, mięśnie grzbietu, triceps

Oddech: podczas ruchu spinającego mięśnie wydychaj głośno powietrze przez otwarte usta

WZNOSY NÓG W LEŻENIU NA BRZUCHU

Pozycja wyjściowa: leżenie na brzuchu z dłońmi ułożonymi pod brodą, nogi lekko uniesione ze stopami na szerokość bioder

Ruch: unosimy obie nogi jednocześnie w górę, aż do momentu oderwania przedniej części ud od podłogi, następnie wracamy do pozycji wyjściowej

Uwagi: nogi pracują cały czas w powietrzu, należy unikać wyrzucania nóg w górę, ruch powinien być spokojny, kontrolowany napiętymi mięśniami

Mięśnie zaangażowane: pośladki, mięsień dwugłowy uda, dolny odcinek grzbietu

Oddech: podczas ruchu spinającego mięśnie wydychaj głośno powietrze przez otwarte usta

M10

ODWODZENIE NÓG W LEŻENIU NA BRZUCHU

Pozycja wyjściowa: leżenie na brzuchu z dłońmi ułożonymi pod brodą, nogi uniesione tak, by przednia część ud nie przylegała do podłogi, stopy ułożone na szerokość bioder

Ruch: nie zmieniając położenia nóg względem podłogi, odwodzimy nogi na zewnątrz, a następnie wracamy do pozycji wyjściowej

Uwagi: nogi pracują cały czas w powietrzu

Mięśnie zaangażowane: pośladki (przede wszystkim jego boczna część, czyli pośladkowy średni), mięsień dwugłowy uda, dolny odcinek grzbietu

Oddech: podczas ruchu spinającego mięśnie wydychaj głośno powietrze przez otwarte usta

ĆWICZENIA NA MACIE

WZNOSY TUŁOWIA W LEŻENIU NA BRZUCHU

Pozycja wyjściowa: w leżeniu na brzuchu, ze stopami złączonymi na podłodze, unosimy ręce nisko nad podłogą, cały tułów łącznie z brodą przylega do podłogi

Ruch: unosimy górną część tułowia tak, by klatka piersiowa w całości oderwała się od podłogi, następnie wracamy do pozycji wyjściowej

Uwagi: głowa stanowi przedłużenie tułowia (nie zadzieramy ani nie zwieszamy jej), ruch prowadzą kciuki skierowane w górę; w końcowej fazie ruchu należy maksymalnie ściągnąć do siebie łopatki, co spowoduje spięcie mięśni głębszych górnego odcinka pleców

Mięśnie zaangażowane: dolna i górna część grzbietu, w mniejszym stopniu pośladki

Oddech: podczas ruchu spinającego mięśnie wydychaj głośno powietrze przez otwarte usta

ŚCIĄGANIE ŁOKCI W TYŁ W LEŻENIU NA BRZUCHU

Pozycja wyjściowa: w leżeniu na brzuchu ze stopami złączonymi na podłodze, tułów uniesiony z rękami wyprostowanymi z przodu tak, by klatka piersiowa nie przylegała do podłogi, głowa stanowi przedłużenie tułowia (nie zadzieramy ani nie zwieszamy jej)

Ruch: nie zmieniając pozycji tułowia, ściągamy łokcie w tył, a następnie wracamy do pozycji wyjściowej

Uwagi: należy utrzymać izometryczne (statyczne) spięcie pleców w odcinku lędźwiowym

Mięśnie zaangażowane: dolna i górna część grzbietu, mięsień naramienny (część tylna), w mniejszym stopniu pośladki

Oddech: podczas ruchu spinającego mięśnie wydychaj głośno powietrze przez otwarte usta

WZNOSY TUŁOWIA W LEŻENIU NA BRZUCHU Z RĘKAMI WZDŁUŻ TUŁOWIA

Pozycja wyjściowa: leżenie na podłodze z rękami ułożonymi wzdłuż tułowia i lekko uniesionym tułowiem

Ruch: zwiększamy uniesienie tułowia, maksymalnie ściągając do siebie łopatki a następnie wracamy do pozycji wyjściowej

Uwagi: tułów cały czas pracuje w powietrzu

Mięśnie zaangażowane: grzbiet (przede wszystkim jego dolna część), w mniejszym stopniu pośladki

Oddech: podczas ruchu spinającego mięśnie wydychaj głośno powietrze przez otwarte usta

M14

M15

ROBOT (WZNOSY PRZECIWNEJ RĘKI DO NOGI W LEŻENIU NA BRZUCHU)

Pozycja wyjściowa: leżenie na podłodze z nogami uniesionymi i rękami wyprostowanymi z przodu, opartymi o podłogę (ręce i nogi stanowią przedłużenia tułowia)

Ruch: jednocześnie unosimy nogę i przeciwną do niej rękę, następnie od razu wykonujemy to samo na drugą stronę, ruch przypomina nożyce pionowe rękami i nogami

Uwagi: należy unikać opuszczania nóg na podłogę

Mięśnie zaangażowane: dolna i górna część grzbietu, pośladki i mięsień dwugłowy uda

Oddech: podczas ruchu spinającego mięśnie wydychaj głośno powietrze przez otwarte usta

JEDNOCZESNE WZNOSY RĄK I NÓG W LEŻENIU NA BRZUCHU

Pozycja wyjściowa: leżenie na podłodze z nogami i rękami uniesionymi nad podłogę (ręce i nogi stanowią przedłużenia tułowia)

Ruch: jednocześnie unosimy ręce i nogi powyżej poziomu startowego, następnie wracamy do pozycji wyjściowej

Uwagi: nogi i ręce cały czas pracują w powietrzu

Mięśnie zaangażowane: dolna i górna część grzbietu, pośladki i dwugłowy uda

Oddech: podczas ruchu spinającego mięśnie wydychaj głośno powietrze przez otwarte usta

M16

SKRĘTY TUŁOWIA DO KOLANA W SIADZIE Z UNIESIONYMI NOGAMI

Pozycja wyjściowa: pozycja siedząca z nogami w powietrzu; jedna noga wyprostowana, a druga z kolanem podciągniętym do klatki, tułów skręcony tak, by bark wraz z łokciem był skręcony do przeciwległego kolana

Ruch: przez zmianę podciągniętej nogi i skręt tułowia w drugą stronę osiągamy lustrzane odbicie pozycji wyjściowej, następnie wracamy do pozycji startowej

Uwagi: plecy przez cały czas staramy się trzymać prosto, należy unikać ściągania łokci w stronę klatki piersiowej, łokcie powinny tworzyć linię prostą z górną częścią pleców

Mięśnie zaangażowane: brzuch (przede wszystkim mięśnie skośne i dolna część mięśni prostych), w mniejszym stopniu uda i grzbiet

Oddech: podczas ruchu spinającego mięśnie wydychaj głośno powietrze przez otwarte usta

SCYZORYK W SIADZIE PODPARTYM (ŚCIĄGANIE KOLAN DO KLATKI PIERSIOWEJ W SIADZIE PODPARTYM)

Pozycja wyjściowa: siad podparty na rękach z kolanami podciągniętymi do klatki piersiowej, kolana ugięte pod kątem prostym, stopy złączone w powietrzu, dłonie ułożone na szerokość barków bezpośrednio pod nimi, plecy proste, brzuch mocno napięty

Ruch: wykonujemy jednoczesne opuszczanie nóg i ich wyprost wraz z obniżaniem tułowia przez mocniejsze ugięcie łokci, następnie wracamy do pozycji wyjściowej

Uwagi: należy unikać zbyt niskiego opuszczania nóg i związanego z nim wyginania odcinka lędźwiowego kręgosłupa (pogłębianie lordozy), nogi i łokcie cały czas pracują w powietrzu, maksymalnie koncentrujemy się na spinaniu brzucha

Mięśnie zaangażowane: brzuch (przede wszystkim dolna część mięśni prostych), triceps, w mniejszym stopniu mięsień biodrowo-lędźwiowy i dolny odcinek grzbietu

Oddech: podczas ruchu spinającego mięśnie wydychaj głośno powietrze przez otwarte usta

M18

M19

UNOSZENIE TUŁOWIA I NÓG Z LEŻENIA NA PLECACH DO SIADU

Pozycja wyjściowa: w leżeniu na plecach nogi, ręce i głowa (broda ściągnięta lekko do klatki) uniesione nisko nad podłogą, ale tak, by odcinek lędźwiowy kręgosłupa przylegał całą płaszczyzną do podłogi

Ruch: jednocześnie ściągamy kolana do klatki i unosimy tułów, aż do momentu, gdy będziemy w stanie chwycić nogi pod kolanami

Uwagi: jest bardzo ważne, by w początkowej fazie unoszenia tułowia, zbliżyć lekko mostek do miednicy (wykonać mocne spięcie mięśni brzucha i utrzymać je aż do osiągnięcia pozycji końcowej), w ten sposób unikniemy nadmiernego wyginania kręgosłupa w odcinku lędźwiowym

Mięśnie zaangażowane: brzuch, mięsień biodrowo-lędźwiowy, w mniejszym stopniu dolny odcinek grzbietu

Oddech: podczas ruchu spinającego mięśnie wydychaj głośno powietrze przez otwarte usta

UNOSZENIE TUŁOWIA DO JEDNEJ NOGI Z LEŻENIA

Pozycja wyjściowa: w leżeniu na plecach jedna noga ugięta w kolanie pod kątem prostym oparta na podłodze, a druga wyprostowana w powietrzu, kolana i uda złączone, broda lekko ściągnięta do klatki, co powoduję wstępne izometryczne (statyczne) spięcie mięśni brzucha, ręce ułożone wzdłuż tułowia

Ruch: zbliżając mostek do miednicy, unosimy tułów, aż do momentu, w którym będziemy w stanie dotknąć dłońmi okolice kostek, następnie wracamy do pozycji wyjściowej; ćwiczenie powtarzamy na drugą stronę

Uwagi: jest bardzo ważne, by w początkowej fazie unoszenia tułowia wykonać mocne spięcie mięśni brzucha i utrzymać je aż do osiągnięcia pozycji końcowej, w ten sposób unikniemy nadmiernego wyginania kręgosłupa w odcinku lędźwiowym; należy unikać odrywania od podłogi stopy podpierającej

Mięśnie zaangażowane: brzuch, mięsień biodrowo-lędźwiowy, w mniejszym stopniu dolny odcinek grzbietu

Oddech: podczas ruchu spinającego mięśnie wydychaj głośno powietrze przez otwarte usta

M20

ĆWICZENIA NA MACIE

M21

NAPRZEMIENNE WYMACHY RĄK W LEŻENIU NA PLECACH

Pozycja wyjściowa: leżenie na plecach, nogi zgięte w kolanach pod kątem prostym, uniesione w taki sposób, by uda tworzyły kąt prosty z tułowiem, lekko uniesiony tułów (do podłogi przylega tylko dolna część łopatek i odcinek lędźwiowy kręgosłupa), obie ręce uniesione nisko nad podłogą, jedna ręka stanowi przedłużenie tułowia, druga zaś jest ułożona wzdłuż tułowia; w tej pozycji następuje izometryczne (statyczne) spięcie mięśni brzucha

Ruch: wykonujemy zmiany położenia rąk będące swoim lustrzanym odbiciem

Uwagi: przez cały czas należy trzymać uniesiony tułów, aby utrzymać spięcie mięśni brzucha i nie odrywać odcinka lędźwiowego kręgosłupa od podłogi

Mięśnie zaangażowane: brzuch, mięsień biodrowo-lędźwiowy, klatka piersiowa, w mniejszym stopniu mięsień najszerszy grzbietu, mięsień obły większy i mniejszy

Oddech: podczas ruchu spinającego mięśnie wydychaj głośno powietrze przez otwarte usta

NAPRZEMIENNE WYPROSTY NOGI W LEŻENIU NA PLECACH

Pozycja wyjściowa: w leżeniu na plecach jedna noga uniesiona, wyprostowana, druga ściągnięta kolanem do klatki piersiowej, lekko uniesiony tułów (do podłogi przylega tylko dolna część łopatek i odcinek lędźwiowy kręgosłupa)

Ruch: wykonujemy zamianę nóg miejscami, utrzymując cały czas brzuch w spięciu izometrycznym (statycznym)

Uwagi: należy unikać opuszczania nogi wyprostowanej zbyt nisko, aby nie odrywać odcinka lędźwiowego kręgosłupa od podłogi

Mięśnie zaangażowane: brzuch, mięsień biodrowo-lędźwiowy

Oddech: podczas ruchu spinającego mięśnie wydychaj głośno powietrze przez otwarte usta

M22

JEDNOCZESNE WYPROSTY PODUDZI ZE WZNOSEM TUŁOWIA

Pozycja wyjściowa: w leżeniu na plecach nogi ugięte w kolanach pod kątem prostym, uniesione w taki sposób, by uda z tułowiem tworzyły kąt prosty; cała płaszczyzna pleców wraz głową przylegają do podłogi

Ruch: jednocześnie prostujemy nogi i unosimy tułów do momentu, aż będziemy w stanie dotknąć dłońmi okolice kostki

Uwagi: należy pamiętać, by unoszenie tułowia odbywało się przez zbliżenie mostka do miednicy („roll"), unikamy nadmiernego ściągania brody do klatki (raczej należy ją prowadzić bardziej w stronę sufitu), by nie obciążać odcinka szyjnego kręgosłupa, odcinek lędźwiowy kręgosłupa cały czas przylega do podłogi

Mięśnie zaangażowane: brzuch, mięsień czworogłowy uda

Oddech: podczas ruchu spinającego mięśnie wydychaj głośno powietrze przez otwarte usta

ĆWICZENIA NA MACIE

ODWODZENIE NÓG W LEŻENIU NA PLECACH Z NOGAMI UGIĘTYMI

Pozycja wyjściowa: w leżeniu na plecach nogi ugięte w kolanach pod kątem prostym, uniesione w taki sposób, by uda z tułowiem tworzyły kąt prosty, lekko uniesiony tułów (do podłogi przylega tylko dolna część łopatek i odcinek lędźwiowy kręgosłupa), dłonie delikatnie podtrzymują głowę za uszami

Ruch: utrzymując spięcie izometryczne (statyczne) mięśni brzucha, odwodzimy nogi na zewnątrz, następnie wracamy do pozycji wyjściowej

Uwagi: przez cały czas utrzymujemy tułów uniesiony (spięcie statyczne mięśni brzucha), przy ruchu odwodzącym należy cały czas utrzymywać kąt prosty w kolanach i biodrach, odcinek lędźwiowy przylega całą płaszczyzną do podłogi

Mięśnie zaangażowane: brzuch, mięśnie przywodziciele nóg

Oddech: podczas ruchu spinającego mięśnie wydychaj głośno powietrze przez otwarte usta

M24

M25

ODWODZENIE NÓG W LEŻENIU NA PLECACH

Pozycja wyjściowa: w leżeniu na plecach nogi wyprostowane, uniesione w taki sposób, by z tułowiem tworzyły kąt prosty, ręce leżą na podłodze ułożone na przedłużeniu tułowia, odcinek lędźwiowy kręgosłupa, plecy i głowa przylegają całą płaszczyzną do podłogi

Ruch: z początkowej pozycji nóg zachowywanej względem tułowia odwodzimy je, wykonując jednocześnie ruch rąk do przodu z uniesieniem tułowia

Uwagi: należy pamiętać, by nie opuszczać za nisko nóg oraz nie podnosić za wysoko tułowia – może to powodować odrywanie się odcinka lędźwiowego kręgosłupa od podłogi

Mięśnie zaangażowane: brzuch, mięśnie przywodziciele nóg

Oddech: podczas ruchu spinającego mięśnie wydychaj głośno powietrze przez otwarte usta

NOŻYCE PIONOWE W LEŻENIU NA PLECACH (DUŻY ZAKRES)

Pozycja wyjściowa: w leżeniu na plecach nogi uniesione, jedna tworzy kąt prosty z tułowiem, druga zaś jest nisko nad podłogą, lekko uniesiony tułów (do podłogi przylega tylko dolna część łopatek i odcinek lędźwiowy kręgosłupa), ręce skierowane do przodu z dłońmi ułożonymi w okolicach kolana bliższej nogi

Ruch: wykonujemy zamianę nóg tak, by osiągnąć lustrzane odbicie pozycji wyjściowej, następnie wracamy do pozycji wyjściowej

Uwagi: tułów cały czas jest uniesiony, a więc wykonujemy spięcie izometryczne (statyczne) brzucha, należy unikać zbyt niskiego opuszczania nogi, by odcinek lędźwiowy kręgosłupa nie odrywał się od podłogi, broda powinna iść w stronę sufitu (nie ściągamy jej mocno do klatki piersiowej, ponieważ obciąża to odcinek szyjny kręgosłupa)

Mięśnie zaangażowane: brzuch (przede wszystkim dolna część mięśni prostych), biodrowo-lędźwiowy, w mniejszym stopniu mięsień czworogłowy uda

Oddech: podczas ruchu spinającego mięśnie wydychaj głośno powietrze przez otwarte usta

M26

M27

WZNOSY NÓG ZŁĄCZONYCH PODESZWAMI STÓP W LEŻENIU NA PLECACH

Pozycja wyjściowa: w leżeniu na plecach nogi złączone stopami tak, by przylegały do siebie podeszwami butów, kolana ułożone nisko nad podłogą, a tułów lekko uniesiony (do podłogi przylega tylko dolna część łopatek i odcinek lędźwiowy kręgosłupa), dłonie delikatnie podtrzymują za uszami i łokcie ułożone płasko

Ruch: zachowując pozycję nóg, wykonujemy ich uniesienie z jednoczesnym pogłębieniem pozycji tułowia (zbliżenie mostka do miednicy)

Uwagi: należy unikać odrywania odcinka lędźwiowego kręgosłupa oraz nadmiernego ściągania brody do klatki (broda skierowana lekko w stronę sufitu), co może powodować obciążenia odcinka szyjnego kręgosłupa

Mięśnie zaangażowane: brzuch (przede wszystkim dolna część mięśni prostych i mięsień piramidowy), mięsień biodrowo-lędźwiowy

Oddech: podczas ruchu spinającego mięśnie wydychaj głośno powietrze przez otwarte usta

NAPRZEMIENNE SKRĘTY TUŁOWIA Z UNOSZENIEM PRZECIWLEGŁEJ NOGI W LEŻENIU NA PLECACH

Pozycja wyjściowa: w leżeniu na plecach nogi podparte na podłodze stopami ustawionymi na szerokość bioder, tułów lekko uniesiony (do podłogi przylega tylko dolna część łopatek i odcinek lędźwiowy kręgosłupa), dłonie delikatnie podtrzymują głowę za uszami, łokcie ułożone płasko

Ruch: wykonujemy naprzemienne skręty tułowia z jednoczesnym ściąganiem kolana przeciwległej nogi

Uwagi: bardzo ważne jest, by unosić nogę dopiero po opuszczeniu poprzedniej na podłogę, zapobiegnie to odrywaniu się odcinka lędźwiowego kręgosłupa, a co za tym idzie, nadmiernego obciążania go; przy skręcie tułowia staramy się, by łokieć dotykał do podłogi – dzięki temu pozycja będzie stabilna; skręt tułowia wykonujemy całą płaszczyzną tworzoną przez barki i łokcie, a nie tylko przez ściąganie łokcia w stronę klatki (to bardzo częsty błąd), łopatki przez cały czas trwania ćwiczenia są oderwane od podłogi

Mięśnie zaangażowane: brzuch (przede wszystkim pracują skośne mięśnie brzucha), mięsień biodrowo-lędźwiowy

Oddech: podczas ruchu spinającego mięśnie wydychaj głośno powietrze przez otwarte usta

M28

ĆWICZENIA NA MACIE

M29

JEDNOCZESNE WZNOSY UGIĘTYCH NÓG I TUŁOWIA W LEŻENIU NA PLECACH

Pozycja wyjściowa: w leżeniu na plecach nogi ugięte pod kątem prostym podparte na podłodze, stopy złączone z piętami uniesionymi w górę, tułów lekko uniesiony (do podłogi przylega tylko dolna część łopatek i odcinek lędźwiowy kręgosłupa), dzięki czemu uzyskamy wstępne spięcie mięśni brzucha; dłonie delikatnie podtrzymują głowę za uszami, łokcie ułożone płasko, odcinek lędźwiowy przylega do podłogi

Ruch: nie zmieniając kąta ugięcia kolan, wykonujemy jednoczesne uniesienie nóg i tułowia

Uwagi: należy unikać upuszczania całych stóp na podłogę, by odcinek lędźwiowy kręgosłupa nie odrywał się od podłogi, oraz nadmiernego ściągania brody do klatki (broda skierowana lekko w stronę sufitu), co może powodować obciążenia odcinka szyjnego kręgosłupa

Mięśnie zaangażowane: brzuch (przede wszystkim dolna i górna część mięśni prostych), mięsień biodrowo-lędźwiowy

Oddech: podczas ruchu spinającego mięśnie wydychaj głośno powietrze przez otwarte usta

UNOSZENIE NÓG ZAŁOŻONYCH NA SIEBIE Z JEDNOCZESNYM UNOSZENIEM TUŁOWIA W LEŻENIU NA PLECACH

Pozycja wyjściowa: w leżeniu na plecach jedna noga ugięta pod kątem prostym w kolanie, oparta na całej stopie na podłodze, druga zaś założona stopą na kolano nogi podpierającej, tułów lekko uniesiony (do podłogi przylega tylko dolna część łopatek i odcinek lędźwiowy kręgosłupa), dzięki czemu uzyskamy wstępne spięcie mięśni brzucha

Ruch: nie zmieniając pozycji nóg, wykonujemy jednoczesne uniesienie nóg i tułowia; ćwiczenie powtarzamy na drugą stronę

Uwagi: należy unikać nadmiernego ściągania brody do klatki (broda skierowana lekko w stronę sufitu), co może powodować obciążenia odcinka szyjnego kręgosłupa oraz odrywania odcinka lędźwiowego od podłogi

Mięśnie zaangażowane: brzuch (przede wszystkim dolna i górna część mięśni prostych), mięsień biodrowo-lędźwiowy

Oddech: podczas ruchu spinającego mięśnie wydychaj głośno powietrze przez otwarte usta

M30

ROZGRZEWKA ĆWICZENIA NA MACIE ĆWICZENIA W POZYCJI STOJĄCEJ ĆWICZENIA NA KORPUS

WZNOSY BIODER Z NOGAMI W GÓRZE W LEŻENIU NA PLECACH

Pozycja wyjściowa: w leżeniu na plecach nogi złączone i wyprostowane, uniesione tak, by tworzyły kąt prosty z tułowiem, cały tułów wraz z głową przylegają do podłogi, a ręce są ułożone wzdłuż tułowia

Ruch: nie wykonując zamachu nogami, wykonujemy wznos bioder

Uwagi: należy maksymalnie ograniczyć pracę nóg, a skoncentrować się na siłowym unoszeniu bioder przez brzuch, wznos bioder jest lekki, nie staramy się osiągnąć pozycji „świecy"

Mięśnie zaangażowane: brzuch (przede wszystkim dolna część mięśni prostych)

Oddech: podczas ruchu spinającego mięśnie wydychaj głośno powietrze przez otwarte usta

NOŻYCE POZIOME W LEŻENIU NA PLECACH

Pozycja wyjściowa: w leżeniu na plecach obie nogi wyprostowane, uniesione nisko nad podłogą (jedna trochę niżej), tułów lekko uniesiony (do podłogi przylega tylko dolna część łopatek i odcinek lędźwiowy kręgosłupa), ręce ułożone wzdłuż tułowia, dłonie ułożone pod pośladkami – spowoduje to mocniejsze ściągnięcie miednicy do mostka, a co za tym idzie – dociśnięcie odcinka lędźwiowego kręgosłupa do podłogi

Ruch: wykonujemy nożyce poziome

Uwagi: należy unikać zbyt niskiego opuszczania nóg i tułowia, co powoduje odrywanie się odcinka lędźwiowego od podłogi – przez cały czas trwania ćwiczenia powinien do niej przylegać

Mięśnie zaangażowane: brzuch (przede wszystkim dolna część mięśni prostych), mięsień biodrowo-lędźwiowy, w mniejszym stopniu mięsień czworogłowy uda

Oddech: podczas ruchu spinającego mięśnie wydychaj głośno powietrze przez otwarte usta

M32

M33

WZNOSY TUŁOWIA Z RĘKĄ SKIEROWANĄ DO WYPROSTOWANYCH NÓG W LEŻENIU NA PLECACH

Pozycja wyjściowa: w leżeniu na plecach nogi złączone i wyprostowane, uniesione tak, by tworzyły kąt prosty z tułowiem, tułów lekko uniesiony (do podłogi przylega tylko dolna część łopatek i odcinek lędźwiowy kręgosłupa), dłonie delikatnie podtrzymują głowę za uszami

Ruch: wykonujemy wznosy tułowia, sięgając rękami naprzemiennie do nóg

Uwagi: odcinek lędźwiowy podczas całego ćwiczenia powinien przylegać do podłogi

Mięśnie zaangażowane: brzuch (przede wszystkim górna część mięśni prostych)

Oddech: podczas ruchu spinającego mięśnie wydychaj głośno powietrze przez otwarte usta

JEDNOCZESNE ŚCIĄGANIE KOLAN I ŁOKCIA W PODPORZE BOKIEM

Pozycja wyjściowa: klęk podparty bokiem, dłoń ręki opierającej ustawiona trochę powyżej linii barku, co zapobiegnie nadmiernemu obciążaniu stawu barkowego (ręka lekko ugięta w łokciu, unikamy jego blokowania), druga dłoń ułożona za uchem, kolano ugięte pod kątem prostym, druga noga wyprostowana, uniesiona do poziomu tułowia, cały korpus mocno napięty

Ruch: wykonujemy ściągnięcie kolana nogi uniesionej do łokcia

Uwagi: należy unikać opuszczania nogi poniżej linii tułowia, co powoduje znaczne obciążenia kręgosłupa i stawu biodrowego, oraz blokowania ręki w łokciu

Mięśnie zaangażowane: brzuch (przede wszystkim mięśnie skośne), mięsień biodrowo-lędźwiowy, w mniejszym stopniu mięsień naramienny

Oddech: podczas ruchu spinającego mięśnie wydychaj głośno powietrze przez otwarte usta

M34

S01

WYPAD W TYŁ Z POZYCJI STOJĄCEJ NA JEDNEJ NODZE

Pozycja wyjściowa: pozycja stojąca na jednej nodze z drugą nogą ugiętą pod kątem prostym, uniesioną w taki sposób, żeby udo z tułowiem tworzyło kąt prosty; noga, na której stoimy, jest lekko ugięta (unikamy blokowania jej w kolanie), ręka przeciwna do uniesionej nogi jest wyprostowana i uniesiona na wysokość barku do przodu

Ruch: wykonujmy wypad w tył, na nogę, która jest uniesiona, zamieniając przy tym ręce, następnie wracamy do pozycji wyjściowej

Uwagi: jest bardzo ważne, by najpierw wypracować (przez wykonanie pozycji statycznie) prawidłową technikę wypadu; faza dolna wypadu charakteryzuje się kątami prostymi w kolanach obu nóg i tym, że przednie kolano powinno znajdować się w jednej linii z podpierającą stopą (unikamy wypuszczania kolana przed palce stopy i za piętę); należy unikać również pochylania i odchylania tułowia

Mięśnie zaangażowane: uda (przede wszystkim mięsień czworogłowy uda), pośladki, mięsień biodrowo-lędźwiowy, w mniejszym stopniu brzuch i – przez pracę rąk – mięsień naramienny

Oddech: podczas ruchu spinającego mięśnie wydychaj głośno powietrze przez otwarte usta

WYPAD

Pozycja wyjściowa: wypad; faza dolna wypadu charakteryzuje się kątami prostymi w kolanach obu nóg i tym, że przednie kolano powinno znajdować się w jednej linii z podpierającą stopą (unikamy wypuszczania kolana przed palce stopy i za piętę), należy unikać również pochylania i odchylania tułowia (tułów powinien znajdować się w jednej linii z udem nogi zakrocznej)

Ruch: wykonujemy wyprost nóg do pozycji stojącej wykrocznej, następnie wracamy do pozycji wyjściowej

Uwagi: kolano nogi zakrocznej pracuje cały czas w powietrzu, a stopa jest ciągle na palcach; podczas całego ćwiczenia należy trzymać tułów pionowo, unikamy całkowitego wyprostu nóg w kolanach

Mięśnie zaangażowane: uda (przede wszystkim mięsień czworogłowy uda), pośladki

Oddech: podczas ruchu spinającego mięśnie wydychaj głośno powietrze przez otwarte usta

S02

S03

LIFT Z WYPADU

Pozycja wyjściowa: wypad; faza dolna wypadu charakteryzuje się kątami prostymi w kolanach obu nóg i tym, że przednie kolano powinno znajdować się w jednej linii z podpierającą stopą (unikamy wypuszczania kolana przed palce stopy i za piętę); należy unikać również pochylania i odchylania tułowia (tułów jest w jednej linii z udem nogi zakrocznej)

Ruch: wykonujemy lift (wznos nogi zakrocznej) w kierunku tył-skos (nogę prowadzimy bokiem stopy), następnie wracamy do pozycji wyjściowej, ćwiczenie powtarzamy na drugą stronę

Uwagi: w górnej fazie ruchu nie prostujemy nogi wykrocznej do końca (unikamy blokowania jej w kolanie), należy unikać nadmiernego wyginania kręgosłupa w odcinku lędźwiowym i zbyt wysokiego unoszenia nogi zakrocznej w lifcie; ćwiczenie ma działać wzmacniająco, a nie rozciągająco, więc należy unikać dynamicznych wymachów w tył, ruch powinien być kontrolowany

Mięśnie zaangażowane: przede wszystkim mięsień czworogłowy uda, pośladki (pośladkowy wielki i średni), dolny odcinek grzbietu, w mniejszym stopniu brzuch

Oddech: podczas ruchu spinającego mięśnie wydychaj głośno powietrze przez otwarte usta

PRZESKOK Z WYPADU DO WYPADU NA DRUGĄ NOGĘ

Pozycja wyjściowa: wypad; faza dolna wypadu charakteryzuje się kątami prostymi w kolanach obu nóg i tym, że przednie kolano powinno znajdować sie w jednej linii z podpierającą stopą (unikamy wypuszczania kolana przed palce u stopy i za piętę), należy unikać również pochylania i odchylania tułowia (tułów jest w jednej linii z udem nogi zakrocznej)

Ruch: wykonujemy naprzemienne wykroki w tył, przechodząc przez pozycję stojącą na dwóch nogach

Uwagi: należy zachować ostrożność przy schodzeniu w dół, by nie uderzyć kolanem o podłogę, kolano pracuje zawsze powietrzu

Mięśnie zaangażowane: uda (przede wszystkim mięsień czworogłowy uda), pośladki, w mniejszym stopniu brzuch i przez pracę rąk – mięsień naramienny

Oddech: podczas ruchu spinającego mięśnie wydychaj głośno powietrze przez otwarte usta

S04

S05

WYSKOK JEDNONÓŻ Z WYPADU

Pozycja wyjściowa: wypad; faza dolna wypadu charakteryzuje się kątami prostymi w kolanach obu nóg i tym, że przednie kolano powinno znajdować się w jednej linii z podpierającą stopą (unikamy wypuszczania kolana przed palce u stopy i za piętę); należy unikać również pochylania i odchylania tułowia (tułów jest w jednej linii z udem nogi zakrocznej)

Ruch: wykonujemy wyskok na jednej nodze, wyciągając w górę kolanem nogi zakrocznej z pozycji wyjściowej, następnie wracamy do pozycji wyjściowej; ćwiczenie powtarzamy na drugą stronę

Uwagi: w pozycji dolnej podczas ruchu (czyli wypadu) należy zwracać szczególną uwagę na to, czy zachowujemy nienaganną technikę z pozycji wyjściowej; przy początkowej fazie lądowania należy pamiętać, by odbywała się ona na ugiętą nogę, co zapobiegnie przeciążaniu stawu kolanowego i potencjalnym kontuzjom

Mięśnie zaangażowane: uda (przede wszystkim mięsień czworogłowy uda), pośladki, mięsień biodrowo-lędźwiowy, w mniejszym stopniu brzuch i, przez pracę rąk, mięsień naramienny

Oddech: podczas ruchu spinającego mięśnie wydychaj głośno powietrze przez otwarte usta

SQUAT (PRZYSIAD) NA JEDNEJ NODZE

Pozycja wyjściowa: pozycja stojąca na jednej nodze z drugą nogą ugiętą w pod kątem prostym, uniesioną w taki sposób, że udo z tułowiem tworzy kąt prosty; noga, na której stoimy, jest lekko ugięta (unikamy blokowania jej w kolanie), ręce uniesione do linii barków, ugięte pod kątem prostym w łokciach, dłonie, łokcie, tułów i noga podpierająca tworzą jedną linię

Ruch: wykonujemy przysiad na jednej nodze tak, by dłonie, barki, kolano i stopa nogi podpierającej nadal tworzyły jedną linię; ćwiczenie powtarzamy na drugą stronę

Uwagi: najważniejsze, żeby nie wypuszczać kolana przed palce stopy (obciąża to stawy kolanowe); należy unikać nadmiernego pochylania tułowia, tak, by zachować wyżej wymienioną jedną linię, łopatki i łokcie nocno ściągamy w tył, żeby się nie garbić

Mięśnie zaangażowane: uda (przede wszystkim mięsień czworogłowy uda), pośladki, grzbiet (dolny i górny odcinek)

Oddech: podczas ruchu spinającego mięśnie wydychaj głośno powietrze przez otwarte usta

S06

S07

WYSKOK JEDNONÓŻ Z WYPADU BOKIEM

Pozycja wyjściowa: wypad bokiem; jedna noga ugięta w kolanie (kolano nie może przekraczać linii palców stopy), druga wyprostowana do boku, oparta na wewnętrznej krawędzi stopy, tułów lekko pochylony, a plecy wyprostowane

Ruch: wykonujemy wyskok na jednej nodze prowadzony w górę kolanem nogi zakrocznej (wyprostowanej do boku), ćwiczenie potarzamy na drugą stronę

Uwagi: należy zwrócić uwagę na to, by lądować na ugiętą nogę, co zapobiega obciążaniu stawu kolanowego; ręce pracują jak do marszu (naprzemiennie w stosunku do pracy nóg)

Mięśnie zaangażowane: uda (przede wszystkim mięsień czworogłowy uda), pośladki, mięsień biodrowo-lędźwiowy, w mniejszym stopniu brzuch i – przez pracę rąk – mięsień naramienny

Oddech: podczas ruchu spinającego mięśnie wydychaj głośno powietrze przez otwarte usta

WYPAD DO BOKU

Pozycja wyjściowa: w staniu stopy złączone, ręce wyprostowane w linii barków

Ruch: wykonujemy wypad do boku z jednoczesnym pochyleniem tułowia przy prostych plecach

Uwagi: przy lądowaniu należy unikać wypuszczania kolana za linię palców u stopy i garbienia się

Mięśnie zaangażowane: uda (przede wszystkim mięsień czworogłowy uda), pośladki, w mniejszym stopniu brzuch i dolny odcinek grzbietu

Oddech: podczas ruchu spinającego mięśnie wydychaj głośno powietrze przez otwarte usta

S08

S09

WYPROSTY NÓG ZE WSPIĘCIEM NA PALCE Z POZYCJI PLIEE Z JEDNOCZESNYM WZNOSEM RĄK

Pozycja wyjściowa: fitnessowe pliee; przysiad z nogami szeroko, stopy i kolana skierowane na zewnątrz, cały ciężar przeniesiony na zewnętrzne krawędzie stóp, kolana cofnięte za ich linię, ręce wyprostowane opuszczone w dół

Ruch: wykonujemy wyprost nóg ze wspięciem na palce i jednoczesnym wznosem rąk nad głowę

Uwagi: w dolnej fazie należy unikać wypuszczania kolan do przodu i pochylania tułowia oraz blokowania kolan w górnej fazie

Mięśnie zaangażowane: uda (przede wszystkim mięsień czworogłowy uda i mięśnie przywodziciele uda), pośladki, łydki oraz, przez pracę rąk, mięsień naramienny

Oddech: podczas ruchu spinającego mięśnie wydychaj głośno powietrze przez otwarte usta

SQUAT (PRZYSIAD) ZE WSPIĘCIEM NA PALCE W GÓRNEJ FAZIE

Pozycja wyjściowa: squat (przysiad do kąta prostego z nogami na szerokość bioder); kolana nad stopami, biodra wysunięte mocno w tył, tułów pochylony o prostych plecach, stopy całą powierzchnią przylegają do podłogi i ręce skierowane do przodu (przeciwwaga)

Ruch: przechodzimy z pozycji squatowej do pozycji stojącej na palcach

Uwagi: należy unikać wypuszczania kolan przed palce stóp i blokowania kolan w górnej fazie ruchu

Mięśnie zaangażowane: uda (przede wszystkim mięsień czworogłowy uda i mięśnie przywodziciele uda), pośladki, łydki

Oddech: podczas ruchu spinającego mięśnie wydychaj głośno powietrze przez otwarte usta

S10

ĆWICZENIA W POZYCJI STOJĄCEJ

LIFT DO BOKU Z POZYCJI SQUATU (PRZYSIADU)

Pozycja wyjściowa: squat (przysiad do kąta prostego z nogami na szerokość bioder); kolana nad stopami, biodra wysunięte mocno w tył, tułów pochylony o prostych plecach, stopy całą powierzchnią przylegają do podłogi, ręce skierowane do przodu (przeciwwaga)

Ruch: wykonujemy lift (wznosy) nogi do boku, następnie wracamy do pozycji wyjściowej; ćwiczenie powtarzamy na drugą stronę

Uwagi: należy unikać wypuszczania kolan przed palce stóp i blokowania kolana w górnej fazie ruchu, w lifcie nogę prowadzimy bokiem stopy (zmiana ustawienia stopy powoduje niepotrzebne przejęcia części pracy przez inne mięśnie)

Mięśnie zaangażowane: uda (przede wszystkim część boczna, czyli odwodziciele uda i mięsień czworogłowy), pośladki (mięsień pośladkowy wielki i średni czyli boczny)

Oddech: podczas ruchu spinającego mięśnie wydychaj głośno powietrze przez otwarte usta

LIFT W PRZÓD Z POZYCJI SQUATU (PRZYSIADU)

Pozycja wyjściowa: squat (przysiad do kąta prostego z nogami na szerokość bioder); kolana nad stopami, biodra wysunięte mocno w tył, tułów pochylony przy prostych plecach, stopy całą powierzchnią przylegają do podłogi, ręce skierowane do przodu (przeciwwaga)

Ruch: wykonujemy lift (wznos nogi) w przód; ćwiczenie powtarzamy na drugą stronę

Uwagi: należy unikać wypuszczania kolan przed palce stóp i blokowania kolana w górnej fazie ruchu

Mięśnie zaangażowane: uda (przede wszystkim mięsień czworogłowy uda), pośladki, mięsień biodrowo-lędźwiowy, w mniejszym stopniu brzuch

Oddech: podczas ruchu spinającego mięśnie wydychaj głośno powietrze przez otwarte usta

S12

S13

PRZESKOKI W SQUACIE (PRZYSIADZIE)

Pozycja wyjściowa: squat (przysiad do kąta prostego z nogami na szerokość bioder); kolana nad stopami, biodra wysunięte mocno w tył, tułów pochylony przy prostych plecach, stopy całą powierzchnią przylegają do podłogi i ręce skierowane do przodu (przeciwwaga)

Ruch: wykonujemy przeskok o 90 stopni ponownie do pozycji squatu; następnie wracamy przeskokiem do pozycji wyjściowej, ćwiczenie powtarzamy na drugą stronę

Uwagi: należy unikać wypuszczania kolan przed palce stóp, jest bardzo ważne, by lądować na ugięte nogi (amortyzować lądowanie)

Mięśnie zaangażowane: uda (przede wszystkim mięsień czworogłowy uda), pośladki, łydki oraz w mniejszym stopniu brzuch

Oddech: podczas ruchu spinającego mięśnie wydychaj głośno powietrze przez otwarte usta

SKRZYŻNE WYPADY W TYŁ

Pozycja wyjściowa: w staniu na obu nogach ręce lekko uniesione.

Ruch: wykonujemy wypad skrzyżny w tył, opierając obie dłonie na kolanie nogi wykrocznej

Uwagi: należy unikać nadmiernego odchylania kolan na boki podczas wypadu, jak i odchylania tułowia od naturalnej osi ciała; stopień krzyżowania nogi zakrocznej (tylnej) powinien być niewielki, a stopę nogi wykrocznej (przedniej) powinniśmy trzymać cały czas w jednym położeniu, przylegającą całą podeszwą do podłogi

Mięśnie zaangażowane: uda (przede wszystkim mięsień czworogłowy uda, mięśnie przywodziciele i odwodziciele uda), pośladki (pośladkowy wielki i średni – boczny)

Oddech: podczas ruchu spinającego mięśnie wydychaj głośno powietrze przez otwarte usta

S14

S15

SQUAT (PRZYSIAD) JEDNONÓŻ Z STOPĄ ZAŁOŻONĄ NA KOLANO

Pozycja wyjściowa: stanie na jednej nodze (lekko ugięta, unikamy blokowania kolana), druga noga założona stopą na kolano nogi podpierającej, ręce uniesione w linii barków

Ruch: nie zmieniając pozycji, wykonujemy przysiad na jednej nodze z jednoczesnym ruchem rąk w przód; ćwiczenie powtarzamy na drugą stronę

Uwagi: należy tułów trzymać stabilnie, by uniknąć jego pracy na boki i utraty równowagi

Mięśnie zaangażowane: uda (przede wszystkim mięsień czworogłowy uda), pośladki, w mniejszym stopniu brzuch i dolny odcinek grzbietu

Oddech: podczas ruchu spinającego mięśnie wydychaj głośno powietrze przez otwarte usta

PRZECHODZENIE ZE SQUATU (PRZYSIADU) WĄSKIEGO DO SZEROKIEGO

Pozycja wyjściowa: squat (przysiad do kąta prostego z nogami na szerokość bioder); kolana nad stopami, biodra wysunięte mocno w tył, tułów pochylony o prostych plecach, stopy całą powierzchnią przylegają do podłogi, ręce skierowane do przodu (przeciwwaga)

Ruch: przestawiając jedną nogę, wykonujemy przejście do squatu w pozycji szerszej, a następnie wracamy do pozycji wyjściowej; ćwiczenie powtarzamy na drugą stronę

Uwagi: należy pamiętać o prawidłowej technice squatu także przy pozycji szerokiej (technika w opisie pozycji wyjściowej) i równomiernym obciążania obu nóg

Mięśnie zaangażowane: uda (przede wszystkim mięsień czworogłowy i mięśnie odwodziciele uda), pośladki

Oddech: podczas ruchu spinającego mięśnie wydychaj głośno powietrze przez otwarte usta

S16

S17

SQUAT Z NISKIM ZEJŚCIEM BIODRAMI (MARTWY CIĄG NA UGIĘTYCH NOGACH)

Pozycja wyjściowa: squat wysoki (biodra powyżej linii kolan, nogi na szerokość bioder), kolana nad stopami, biodra wysunięte mocno w tył, tułów pochylony o prostych plecach, stopy całą powierzchnią przylegają do podłogi i ręce skierowane do przodu (przeciwwaga), ręce skierowane prostopadle do podłogi z dłońmi ułożonymi na kolanach

Ruch: imitacja „martwego ciągu" na ugiętych nogach, schodzimy w głębszy squat (biodra poniżej linii bioder), sięgając dłońmi do palców stóp

Uwagi: należy unikać wysuwania kolan poza linię palców stóp, szczególnie w dolnej fazie ruchu, plecy przez cały czas trwania ruchu należy trzymać proste (nie garbimy się)

Mięśnie zaangażowane: to ćwiczenie bardzo aktywizuje pośladki przez niskie zejście w dolnej fazie ruchu, uda (przede wszystkim mięsień czworogłowy uda i mięśnie przywodziciele uda), dolny odcinek grzbietu

Oddech: podczas ruchu spinającego mięśnie wydychaj głośno powietrze przez otwarte usta

SZEROKI BIEG (PRZESKOKI Z JEDNEJ NOGI NA DRUGĄ)

Pozycja wyjściowa: w staniu na jednej nodze (ugięta lekko w kolanie) ręka przeciwna do nogi podpierającej wyciągnięta do przodu

Ruch: wykonujemy szeroki bieg (przeskoki z jednej nogi na drugą na odległość przynajmniej pół metra)

Uwagi: moment lądowania jest bardzo ważny, należy je amortyzować przez ugięcie kolana i pracę tułowia lekko w przód przy prostych plecach; należy unikać przeskakiwania na odległość ponad swoje możliwości, ponieważ może spowodować to mocne odchylanie kolana do boku, a co za tym idzie kontuzję

Mięśnie zaangażowane: uda (przede wszystkim mięsień czworogłowy uda i mięśnie odwodziciele uda), pośladki, biodrowo-lędźwiowy, łydki, w mniejszym stopniu brzuch

Oddech: podczas ruchu spinającego mięśnie wydychaj głośno powietrze przez otwarte usta

S18

S19

SQUAT (PRZYSIAD) JEDNONÓŻ Z KRZESŁEM

Pozycja wyjściowa: w pozycji siedzącej na krześle plecy wyprostowane i jedna noga uniesiona, noga podpierająca ugięta w kolanie pod kątem prostym

Ruch: wstajemy z krzesła na jednej nodze, drugą podciągając kolanem do poziomu bioder, następnie wracamy do pozycji wyjściowej, ćwiczenie powtarzamy na drugą stronę

Uwagi: podczas wstawania trzymamy plecy proste, a w końcowej pozycji noga podpierająca jest lekko ugięta w kolanie; podczas powrotu do pozycji wyjściowej należy dokładnie kontrolować ruch mięśniami i nie opadać bezwładnie

Mięśnie zaangażowane: uda, pośladki, łydki, brzuch, dolny odcinek grzbietu, mięsień biodrowo-lędźwiowy

Oddech: podczas ruchu spinającego mięśnie wydychaj głośno powietrze przez otwarte usta

WSTĘPOWANIE NA KRZESŁO

Pozycja wyjściowa: pozycja stojąca z jedną nogą opartą stopą o krzesło; należy tak dobrać krzesło, by udo nogi postawionej na krześle ugiętej pod kątem prostym tworzyło kąt prosty z tułowiem, noga podpierająca jest lekko ugięta w kolanie

Ruch: wchodzimy na krzesło tak, by obie stopy znalazły się obok siebie, następnie wracamy do pozycji wyjściowej; ćwiczenie powtarzamy na drugą stronę

Uwagi: należy unikać całkowitego wyprostu (blokowania) kolana, zarówno gdy noga znajduje się na górze, jak i wtedy, gdy jest na dole; podczas powrotu do pozycji wyjściowej należy dokładnie kontrolować ruch mięśni i nie opadać bezwładnie

Mięśnie zaangażowane: uda, pośladki, łydki, brzuch

Oddech: podczas ruchu spinającego mięśnie wydychaj głośno powietrze przez otwarte usta

S20

S21

ODWROTNE POMPKI NA KRZEŚLE

Pozycja wyjściowa: podpór tyłem na krześle; stopy ustawione na szerokość bioder, a dłonie na szerokość barków na krześle

Ruch: wykonujemy ugięcie rąk w łokciach tak, by biodra zeszły poniżej poziomu krzesła

Uwagi: należy unikać garbienia się i blokowania rąk w łokciach w górnej fazie ruchu, łokcie w dolnej fazie ruchu uginamy nie więcej niż do kąta prostego

Mięśnie zaangażowane: triceps, mięsień naramienny (część przednia), w mniejszym stopniu uda i pośladki

Oddech: podczas ruchu spinającego mięśnie wydychaj głośno powietrze przez otwarte usta

WYPAD Z JEDNĄ NOGĄ NA KRZEŚLE

Pozycja wyjściowa: stanie na jednej nodze, druga noga oparta podbiciem o krzesło, noga podpierająca lekko ugięta w kolanie, tułów wyprostowany

Ruch: wykonujemy przysiad jednonóż, drugą nogę trzymając cały czas na krześle; ćwiczenie powtarzamy na drugą stronę

Uwagi: należy unikać zbyt dużego rozstawu nóg (może powodować utratę równowagi), nadmiernego pochylania tułowia, jak również wypuszczania kolana nogi podpierającej o podłogę przez palce stopy

Mięśnie zaangażowane: uda, pośladki

Oddech: podczas ruchu spinającego mięśnie wydychaj głośno powietrze przez otwarte usta

S22

S23

CWICZENIA W POZYCJI STOJĄCEJ

LIFT W PRZÓD NAD KRZESŁEM Z POZYCJI SQUATU (PRZYSIADU)

Pozycja wyjściowa: squat (przysiad) wysoki, mniejszy niż kąt prosty, kolana ustawione w linii stóp

Ruch: wykonujemy lift (wznos) nogi nad oparcie krzesła i wracamy do pozycji wyjściowej, ćwiczenie powtarzamy na drugą stronę

Uwagi: obie nogi pracują cały czas lekko ugięte w stawie kolanowym, należy ograniczyć odchylanie tułowia

Mięśnie zaangażowane: uda, pośladki, brzuch, mięsień biodrowo-lędźwiowy

Oddech: podczas ruchu spinającego mięśnie wydychaj głośno powietrze przez otwarte usta

NAPRZEMIENNE ŚCIĄGANIE KOLANA DO KLATKI W POZYCJI PODPORU PRZODEM NA KRZEŚLE

Pozycja wyjściowa: podpór przodem na przedramionach („deska") opartych na krześle; łokcie bezpośrednio pod barkami (kąt prosty w łokciach), brzuch mocno napięty

Ruch: wykonujemy naprzemiennie ściąganie kolan do klatki przy zachowaniu cały czas pozycji „deski"

Uwagi: należy unikać opuszczania bioder poniżej poziomu tułowia i zmniejszania kąta w łokciach przez obniżenie barków

Mięśnie zaangażowane: brzuch, grzbiet, mięsień biodrowo-lędźwiowy, mięsień naramienny (część przednia), w mniejszym stopniu klatka piersiowa

Oddech: podczas ruchu spinającego mięśnie wydychaj głośno powietrze przez otwarte usta

S24

S25

ĆWICZENIA W POZYCJI STOJĄCEJ

„KANGURY" (PODSKOK ZE WZNOSEM KOLAN)

Pozycja wyjściowa: w staniu stopy ustawione na szerokość barków, a ręce wysunięte lekko do przodu z dłońmi na poziomie trochę wyższym niż biodra

Ruch: wykonujemy wyskoki z podciągnięciem kolan do dłoni

Uwagi: należy maksymalnie skoncentrować się podczas lądowania, by trzymać stabilnie tułów i lądować na ugięte nogi (amortyzacja); ważne jest również, żeby w górnej fazie podskoku starać się wykonywać największą pracę przez podciągnięcie kolan, a nie zbliżanie mostka do miednicy

Mięśnie zaangażowane: uda, pośladki, łydki, brzuch, mięsień biodrowo-lędźwiowy

Oddech: podczas ruchu spinającego mięśnie wydychaj głośno powietrze przez otwarte usta

NAPRZEMIENNE UNOSZENIE NÓG W PODPORZE PRZODEM NA PRZEDRAMIONACH

Ustawienie (pozycja startowa): łokcie bezpośrednio pod barkami (kąt prosty w łokciach), tułów w jednej linii, biodra podciągnięte delikatnie pod siebie (mostek zbliżony do miednicy), stopy ustawione na szerokość bioder

Ruch: naprzemienne unoszenie wyprostowanej nogi do linii tułowia

Uwagi: należy unikać obniżania bioder poniżej początkowego poziomu

Mięśnie zaangażowane: brzuch, dolny odcinek grzbietu, mięsień dwugłowy uda, pośladki oraz w mniejszym stopniu klatka piersiowa, mięsień naramienny (część przednia)

Oddech: podczas ruchu spinającego mięśnie wydychaj głośno powietrze przez otwarte usta

K01

K02

PODCIĄGANIE BIODER W GÓRĘ W PODPORZE PRZODEM NA PRZEDRAMIONACH

Pozycja wyjściowa: łokcie bezpośrednio pod barkami (kąt prosty w łokciach), tułów w jednej linii, biodra podciągnięte delikatnie pod siebie (zbliżony mostek do miednicy), stopy ustawione na szerokość bioder

Ruch: delikatna praca biodrami w górę przez pracę stóp w przód i tył w stawie skokowym i spięcie brzucha (zbliżenie mostka do miednicy)

Uwagi: należy unikać obniżania bioder poniżej początkowego poziomu i zbyt dużego przenoszenia barków w przód poza linię łokci

Mięśnie zaangażowane: brzuch, dolny odcinek grzbietu, w mniejszym stopniu klatka piersiowa, mięsień naramienny (część przednia)

Oddech: podczas ruchu spinającego mięśnie wydychaj głośno powietrze przez otwarte usta

NAPRZEMIENNE ŚCIĄGANIE ŁOKCIA I NOGI W PODPORZE PRZODEM

Pozycja wyjściowa: dłonie ustawione trochę szerzej niż barki, tułów w jednej linii, biodra delikatnie podciągnięte pod siebie (mostek zbliżony do miednicy), stopy ustawione trochę szerzej niż biodra, brzuch mocno napięty, nie blokujemy rąk w łokciach (łokcie lekko ugięte)

Ruch: nie zmieniając położenia bioder względem podłogi, unosimy ruchem spokojnym i ciągłym na zmianę łokcie i nogi

Uwagi: należy unikać unoszenia nogi powyżej linii tułowia i obniżania bioder poniżej poziomu początkowego

Mięśnie zaangażowane: klatka piersiowa, mięsień naramienny (część przednia i tylna), górna część grzbietu (obły większy i mniejszy, czworoboczny, najszerszy grzbietu), triceps, pośladki i mięsień dwugłowy uda, brzuch

Oddech: podczas ruchu spinającego mięśnie wydychaj głośno powietrze przez otwarte usta

K03

K04

UGIĘCIA PRZEDRAMION W PODPORZE PRZODEM

Pozycja wyjściowa: dłonie ustawione trochę szerzej niż barki, tułów w jednej linii, biodra delikatnie podciągnięte pod siebie (mostek zbliżony do miednicy), stopy ustawione trochę szerzej niż biodra, brzuch mocno napięty, nie blokujemy rąk w łokciach (łokcie lekko ugięte)

Ruch: nie zmieniając położenia bioder i barków względem podłogi, dotykamy dłońmi na zmianę przeciwległego barku

Uwagi: unikamy zbyt dużego przenoszenia ciężaru ciała na jedną ze stron i obniżania bioder poniżej poziomu początkowego

Mięśnie zaangażowane: klatka piersiowa, mięsień naramienny (część przednia), biceps, triceps, dolny odcinek grzbietu

Oddech: podczas ruchu spinającego mięśnie wydychaj głośno powietrze przez otwarte usta

ZESKOKI DO PRZYSIADU PODPARTEGO Z PODPORU PRZODEM

Pozycja wyjściowa: dłonie ustawione trochę szerzej niż barki, tułów w jednej linii, biodra delikatnie podciągnięte pod siebie (mostek zbliżony do miednicy), stopy ustawione na szerokość bioder, brzuch mocno napięty, nie blokujemy rąk w łokciach (łokcie lekko ugięte)

Ruch: nie zmieniając położenia tułowia, przenosimy jednym ruchem obie stopy jednocześnie z pozycji wyjściowej (podpór przodem) w okolice zewnętrznej strony dłoni; następnie również jednym ruchem staramy się wrócić do pozycji wyjściowej

Uwagi: należy unikać wysuwania kolan poza linię palców stóp podczas lądowania przy dłoniach oraz obniżania bioder poniżej początkowego poziomu podczas kończenia ruchu w pozycji wyjściowej

Mięśnie zaangażowane: brzuch, dolny odcinek grzbietu, mięsień czworogłowy uda, pośladki, klatka piersiowa, triceps, mięsień naramienny (część przednia)

Oddech: podczas ruchu spinającego mięśnie wydychaj głośno powietrze przez otwarte usta

K05

K06

NAPRZEMIENNE ŚCIĄGANIE KOLANA OD ZEWNĄTRZ W PODPORZE PRZODEM

Pozycja wyjściowa: dłonie ustawione trochę szerzej niż barki, tułów w jednej linii, biodra delikatnie podciągnięte pod siebie (mostek zbliżony do miednicy), stopy ustawione na szerokość bioder, brzuch mocno napięty, nie blokujemy rąk w łokciach (łokcie lekko ugięte)

Ruch: nie zmieniając położenia bioder i barków względem podłogi, podciągamy na zmianę kolana od zewnętrznej strony w kierunku tułowia

Uwagi: należy unikać obniżania bioder poniżej poziomu początkowego

Mięśnie zaangażowane: brzuch, dolny odcinek grzbietu, uda, pośladki, klatka piersiowa, triceps, mięsień naramienny część przednia

Oddech: podczas ruchu spinającego mięśnie wydychaj głośno powietrze przez otwarte usta

ĆWICZENIA NA KORPUS

NAPRZEMIENNE WYKROKI W PODPORZE PRZODEM

Pozycja wyjściowa: pozycja pompki (podpór przodem) z jedną nogą wysuniętą do przodu (stopa w okolicy zewnętrznej części dłoni), dłonie ustawione trochę szerzej niż barki, tułów w jednej linii, biodra delikatnie podciągnięte pod siebie (mostek zbliżony do miednicy), brzuch mocno napięty, nie blokujemy rąk w łokciach (łokcie lekko ugięte)

Ruch: wykonujemy lustrzane odpicie pozycji wyjściowej, a następnie wracamy do pozycji wyjściowej

Uwagi: należy unikać wysuwania kolana nogi przedniej za linię palców stóp, zbyt wysokiego unoszenia bioder oraz garbienia się

Mięśnie zaangażowane: brzuch, dolny odcinek grzbietu, uda, pośladki, klatka piersiowa, triceps, mięsień naramienny (część przednia)

Oddech: podczas ruchu spinającego mięśnie wydychaj głośno powietrze przez otwarte usta

K07

K08

POMPKI

Pozycja wyjściowa: dłonie ustawione znacznie szerzej niż barki, tułów w jednej linii, biodra delikatnie podciągnięte pod siebie (mostek zbliżony do miednicy), stopy ustawione szerzej niż biodra, brzuch mocno napięty, nie blokujemy rąk w łokciach (łokcie lekko ugięte)

Ruch: uginamy ręce w łokciach, schodząc barkami w dół, aż do momentu uzyskania kąta prostego w łokciach, następnie wracamy do pozycji wyjściowej

Uwagi: podczas całego ruchu trzymamy tułów w jednej linii; wdech robimy schodząc w dół, a wydech podczas pracy w górę

Mięśnie zaangażowane: klatka piersiowa, triceps, mięsień naramienny (część przednia), brzuch, dolny odcinek grzbietu

Oddech: podczas ruchu spinającego mięśnie wydychaj głośno powietrze przez otwarte usta

KOŁOWE POMPKI TRICEPSOWE
(KOŁOWE PROSTOWANIE RAMION)

Pozycja wyjściowa: łokcie bezpośrednio pod barkami (kąt prosty w łokciach), tułów w jednej linii, biodra podkręcone delikatnie pod siebie (zbliżony mostek do miednicy), stopy ustawione na szerokość bioder

Ruch: przechodzimy z pozycji wyjściowej do podporu przodem (pozycja pompki z rękami ułożonymi trochę szerzej niż barki) i z powrotem do pozycji wyjściowej, zaczynając na zmianę z prawej i lewej strony

Uwagi: osiągając pozycję górną (podpór przodem), należy unikać blokowania łokci (pozostają lekko ugięte); podczas całego ruchu trzymamy tułów w jednej linii, a brzuch mocno napięty

Mięśnie zaangażowane: triceps, klatka piersiowa, mięsień naramienny (część przednia), brzuch, dolny odcinek grzbietu

Oddech: podczas ruchu spinającego mięśnie wydychaj głośno powietrze przez otwarte usta

K09

K10

NAPRZEMIENNE ŚCIĄGANIE KOLAN DO KLATKI W PODPORZE PRZODEM

Pozycja wyjściowa: pozycja pompki (podpór przodem) z jednym kolanem podciągniętym pod tułów (stopa nogi podciągniętej pozostaje w powietrzu), dłonie ustawione trochę szerzej niż barki, tułów w jednej linii, biodra delikatnie podciągnięte pod siebie (mostek zbliżony do miednicy), brzuch mocno napięty, nie blokujemy rąk w łokciach (łokcie lekko ugięte)

Ruch: naprzemienne podciąganie kolan pod tułów

Uwagi: zmiana nóg odbywa się w powietrzu (stopy w żadnym momencie ruchu nie dotykają jednocześnie podłogi); podczas całego ruchu trzymamy tułów w jednej linii, brzuch pozostaje mocno napięty

Mięśnie zaangażowane: brzuch, klatka piersiowa, triceps, mięsień naramienny (część przednia)

Oddech: podczas ruchu spinającego mięśnie wydychaj głośno powietrze przez otwarte usta

ZESKOKI JEDNONÓŻ W PODPORZE PRZODEM

Pozycja wyjściowa: podpór przodem na jednej nodze, dłonie szerzej niż barki

Ruch: nie zmieniając pozycji rąk, wykonujemy zeskoki na jednej nodze (przód/tył) przez załamanie ciała w biodrach

Uwagi: ręce przez cały czas trwania ćwiczenia powinny być lekko ugięte (unikamy blokowania rąk w stawie łokciowym)

Mięśnie zaangażowane: brzuch, uda, pośladki, klatka piersiowa, triceps, mięsień naramienny (część przednia)

Oddech: podczas ruchu spinającego mięśnie wydychaj głośno powietrze przez otwarte usta

K11

WZNOSY BIODER W PODPORZE BOKIEM NA PRZEDRAMIENIU

Pozycja wyjściowa: podpór bokiem na przedramieniu; łokieć ustawiony bezpośrednio pod barkiem (kąt prosty w łokciu), stopy lekko rozstawione (noga wewnętrzna z tyłu, noga zewnętrzna z przodu), biodra lekko uniesione nad podłogą, brzuch mocno napięty

Ruch: unosimy biodro powyżej linii tułowia, maksymalnie koncentrując się na spięciu boku znajdującego się bliżej podłogi, następnie wracamy do pozycji wyjściowej; ćwiczenie powtarzamy na drugą stronę

Uwagi: utrzymujemy podczas całego ćwiczenia biodro w powietrzu; należy unikać wypychania biodra zarówno w przód, jak i w tył, praca odbywa się tylko na linii góra–dół; zwracamy również uwagę na to, by bark nie wychodził z linii łokcia w żadnym momencie ruchu

Mięśnie zaangażowane: brzuch (przede wszystkim mięśnie skośne), boczna część uda, mięsień pośladkowy średni (boczny), mięsień naramienny (część boczna)

Oddech: podczas ruchu spinającego mięśnie wydychaj głośno powietrze przez otwarte usta

WZNOSY NOGI W PODPORZE BOKIEM

Pozycja wyjściowa: podpór bokiem na przedramieniu; łokieć ustawiony bezpośrednio pod barkiem (kąt prosty w łokciu), stopy złączone; nogi, biodra i tułów tworzą jedną linię, brzuch mocno napięty

Ruch: unosimy nogę znajdującą się po zewnętrznej stronie do kąta 30 stopni, utrzymując cały czas tułów, biodra i wewnętrzną nogę w linii prostej; stopę prowadzimy bokiem (skręcanie stopy palcami w górę powoduje przejęcie części pracy przez inne mięśnie); następnie wracamy do pozycji wyjściowej; ćwiczenie powtarzamy na drugą stronę

Uwagi: należy unikać ruchu biodrami; cały tułów jest spięty izometrycznie (statycznie), ruch wykonujemy tylko nogą

Mięśnie zaangażowane: brzuch (przede wszystkim mięśnie skośne), boczna część uda, mięsień pośladkowy średni (boczny), mięsień naramienny (część boczna)

Oddech: podczas ruchu spinającego mięśnie wydychaj głośno powietrze przez otwarte usta

K13

K14

ŚCIĄGANIE KOLANA DO ŁOKCIA W PODPORZE BOKIEM

Pozycja wyjściowa: podpór bokiem na przedramieniu; łokieć ustawiony bezpośrednio pod barkiem (kąt prosty w łokciu), stopy złączone, nogi, biodra i tułów tworzą jedną linię, brzuch mocno napięty, dłoń zewnętrznej ręki kładziemy w okolicach ucha

Ruch: utrzymując tułów w jednej linii, ściągamy kolano zewnętrznej nogi do łokcia, nie odrywając przy tym dłoni od głowy; następnie wracamy do pozycji wyjściowej; ćwiczenie powtarzamy na drugą stronę

Uwagi: należy unikać ruchu biodrami; maksymalnie koncentrujemy się na spięciu korpusu (przede wszystkim jego bocznej części), wydech wykonujemy przy ściągnięciu kolana

Mięśnie zaangażowane: brzuch (przede wszystkim mięśnie skośne, czyli „boczki"), boczna część uda, mięsień pośladkowy średni (boczny), mięsień naramienny (część boczna)

Oddech: podczas ruchu spinającego mięśnie wydychaj głośno powietrze przez otwarte usta

SKRĘTY TUŁOWIA W PODPORZE PRZODEM

Pozycja wyjściowa: podpór bokiem na przedramieniu; łokieć ustawiony bezpośrednio pod barkiem (kąt prosty w łokciu), stopy lekko rozstawione (noga wewnętrzna z tyłu, noga zewnętrzna z przodu), nogi, biodra i tułów tworzą jedną linię, brzuch mocno napięty, dłoń ręki zewnętrznej kładziemy w okolicach ucha

Ruch: nie zmieniając pozycji stóp, skręcamy tułów do środka, aż barki będą ułożone równolegle do podłogi; następnie wracamy do pozycji wyjściowej

Uwagi: należy unikać pracy biodrami góra–dół, dozwolony jest tylko ruch rotacyjny; maksymalnie koncentrujemy się na spięciu korpusu (brzuch, dolny odcinek grzbietu)

Mięśnie zaangażowane: brzuch (przede wszystkim mięśnie skośne), klatka piersiowa, mięsień naramienny (część tylna), grzbiet

Oddech: podczas ruchu spinającego mięśnie wydychaj głośno powietrze przez otwarte usta

K15

WYPROSTY TUŁOWIA W PODPORZE TYŁEM

Pozycja wyjściowa: podpór tyłem; opieramy się jedynie na dłoniach i stopach, łokcie ugięte, biodra lekko uniesione nad podłogą, stopy ułożone na szerokość bioder, dłonie trochę szerzej niż barki, brzuch napięty, plecy wyprostowane

Ruch: unosimy biodra w górę do momentu, aż uda, biodra i tułów utworzą jedną linię; podczas ruchu bioder w górę wykonujemy jednocześnie wyprost łokci (dzięki temu triceps wykonuje dodatkowe dynamiczne spięcie)

Uwagi: podczas całego ćwiczenia biodra pracują w powietrzu. w górnej fazie ruchu należy unikać wypychania bioder powyżej linii ud i tułowia oraz blokowania łokci, stopy przez cały czas przylegają całą podeszwą do podłogi

Mięśnie zaangażowane: mięsień dwugłowy uda, pośladki, triceps i grzbiet, w mniejszym stopniu mięsień czworogłowy uda i brzuch

Oddech: podczas ruchu spinającego mięśnie wydychaj głośno powietrze przez otwarte usta

WYPROSTY TUŁOWIA W PODPORZE TYŁEM NA JEDNEJ NODZE

Pozycja wyjściowa: podpór tyłem na jednej nodze; opieramy się jedynie na dłoniach i jednej stopie (w linii tułowia); drugą stopę unosimy w górę, łokcie ugięte, biodra lekko uniesione nad podłogą, dłonie ułożone trochę szerzej niż barki, brzuch napięty, plecy wyprostowane

Ruch: unosimy biodra w górę do momentu, aż udo nogi podpierającej, biodra i tułów utworzą jedną linię; podczas ruchu bioder w górę wykonujemy jednocześnie wyprost łokci (dzięki temu dodatkowe dynamiczne spięcie wykonuje triceps), druga stopa pozostaje cały czas w powietrzu; następnie wracamy do pozycji wyjściowej; ćwiczenie powtarzamy na drugą stronę

Uwagi: podczas całego ćwiczenia biodra pracują w powietrzu; gdy znajdują się w górze, należy unikać wypychania bioder powyżej linii ud i tułowia oraz blokowania łokci, stopa podpierająca przez cały czas przylega całą podeszwą do podłogi; należy maksymalnie skoncentrować się na spięciu mięśnia pośladkowego i dwugłowego uda (mięsień tylny uda)

Mięśnie zaangażowane: mięsień dwugłowy uda, pośladki, triceps i grzbiet, w mniejszym stopniu mięsień czworogłowy uda i brzuch

Oddech: podczas ruchu spinającego mięśnie wydychaj głośno powietrze przez otwarte usta

K17

K18

PAJĄCZEK (NAPRZEMIENNE WZNOSY PRZECIWNEJ RĘKI DO NOGI W PODPORZE TYŁEM)

Pozycja wyjściowa: podpór tyłem na jednej nodze; opieramy się jedynie na dłoniach i jednej stopie (w linii tułowia), drugą stopę unosimy w górę, łokcie ugięte, biodra lekko uniesione nad podłogą, dłonie ułożone trochę szerzej niż barki, brzuch napięty i plecy wyprostowane

Ruch: jednocześnie podnosimy nogę i przeciwną do niej rękę, do momentu dotknięcia dłonią stopy, następnie wracamy do pozycji wyjściowej; ćwiczenie powtarzamy na drugą stronę

Uwagi: podczas całego ćwiczenia biodra pracują w powietrzu, stopa podpierająca przez cały czas przylega całą podeszwą do podłogi; należy maksymalnie skoncentrować się na spięciu mięśni brzucha, a przede wszystkim mięśni skośnych, należy unikać blokowania łokci (pozostają lekko ugięte)

Mięśnie zaangażowane: uda, pośladki, triceps, brzuch (przede wszystkim mięśnie skośne)

Oddech: podczas ruchu spinającego mięśnie wydychaj głośno powietrze przez otwarte usta